有光的所在

南方朔

【序】

也是勵志

南方朔

《世紀末抒情》出版後，有許多雜誌，包括幾家公司的同仁刊物都轉載了若干篇章，甚至〈讀者文摘〉也選錄了幾段。許多認識和不認識的朋友來信說，他們覺得很「勵志」。

在台灣，一個作者被人說很「勵志」，多半心裡都不會太高興。「勵志」代表了太正面，太沒有批判性。在這個事事都必須批判，不批判就意味著缺少了主見的時代，愈來愈沒有人願意接受「勵志」這個有點貶義的標籤。可是，當別人說我的書很「勵志」時，我卻委實喜歡。「勵志」代表了對未來有積極的嚮往，也對記憶和過去有著正面的懷想。我們每個人在年少懵懂的時候都有一陣子喜歡在桌邊牆上黏貼座右銘。我們相信有些東西會讓自己變得更加善良。可是，隨著年齡的增長，人們在名韁利鎖的恩恩怨怨裡做出與年少所學到的善良相違背之事，當世界的善良愈來愈少，怎麼還會有其他？而「勵志」所說的，多半也就是善良。

最近這幾年應《自由時報》副刊之邀，開始重寫久已擱筆的抒情散文。最先，心裡很是忐忑，害怕自己長年從事有關思想及時事的研究，心和筆都已硬化。但寫著寫著，情意和懷念一一湧現，由於擺脫了批判來批判去的套式框框，心靈反而一片清爽。寫抒情散文已成了我最大的快樂，我可以藉此回憶，可以在裡面神遊，可以說論文裡無法表現的深層感喟。長期以來，我一直未曾荒廢中外詩詞和古人的靈修文學，它們是我靈魂體操的功課。所有的這些，都得以馳騁隨想。

而我寫這些，打從一開始，可絕沒有絲毫「勵志」的用意。被別人說了以後，再回頭重看，才發覺到這些散文果然都很「勵志」。儘管它和傳統的「勵志」很不一樣，但它的訊息都很正面健康。事後我一直在想，這種不自覺的「勵志」，所反應的究竟是我的本性？或是後天的教養？或者是年歲漸增後心情的改變？

而我沒有確切的答案。我有一個好母親，儘管她不識字，但她總是教我必須一生善良，不怨恨、不自棄。但她的耳提面命，我卻聽進的少，遺忘的多。但我相信她的訓誨一定在我的心裡留下了些甚麼「勵志」的基因，到了後來才漸漸發酵。

或許讓我變得那麼「勵志」的，仍在於後來的摸索。近十餘年來，由於研究思想的歷史。自然而然的必須向西方神學及倫理價值的變遷等基本的學問靠近。經由這些方面的思想，終於能體會到人類由野蠻而文明的不易，而推動進步的，其實並不是甚麼「公平」，「正義」之類的抽象概念，而是比這些概念還要根本的感情因素。這些感情因素，才是讓人從動物狀態不斷升級的最重要原因。它就是「對別人的感覺」。它會衍生出兩種感情：

一是走向自己，當人們能夠體會到別人對自己的感覺，他就會產生愈來愈高的「羞恥」標準，對許多以前做了也無所謂的事，後來會因羞恥標準的提高而不再去做。愈來愈高的羞恥標準裡，會誕生諸如謙卑、自尊、懺悔、善良等向內的品質。它是私德的起源。

一是面對別人，當人們能體會別人遭遇到某些事情的感覺，他就會愈來愈提高「不安」的門檻。以前他對別人做了某件事會無動於衷，但隨著「不安」的門檻提高，這種事將來就會逐漸的不再敢做。愈來愈高的不安標準裡，會誕生諸如不忍、勇敢、公平、正義等外向的品質這些公德的胚胎。

因此，「對別人的感覺」才是文明的根本。如果一個社會，每個人的心中只有自己，而對別人別事卻失去了感覺的能力和意願，縱使人人自鳴正義，大家都知識水準不差且聰明，最後也只不過落得相互間聰明的折磨，聰明的謾罵，彼此聰明的傷害而已。而這種對人對事的感覺在我們社會裡又恰恰好最爲缺乏，因而我們的人心，以及由人心所建造出來的社會，遂無法像經濟一樣的隨著時代而升級。

在目前這樣的時代，尋找善良已愈來愈重要。我最敬仰的前代神學家，德國的潘霍華牧師（Dietrich Bonhoeffer, 1906-1945）曾說道：「除非我們有勇氣爲保留人與人的良性關係而奮鬥，人類的一切價值即將淪於紛亂中。」而林語堂先生在《吾土吾民》及《生活的藝術》裡也一再說過，要在生活中鍛鍊人品。善良即人品，只有善良的人，一生才會安穩。而且我也相信，將來人在天上的位置，將會拿掉塵世的榮華虛名，而根據善良與否重新排定。就像古埃及人所相信的，人的最後將由靈魂的重量而決定。

這些想法是否很「勵志」？我不知道。但我以這樣的心情看待事物，並寫下自己的感觸。婆娑的世界，我留下的其實只不過是自己心靈的見證，而我覺得淸爽自在。

最後，抄錄一段中世紀靈修文學的好句子，和好朋友們分享：

──「先安己心，才能安人心。和平者比博學者更有用處。壞脾氣的人，甚至好事也弄壞，並輕信人的惡。良善的和平人把萬事都弄好。一個眞的和平人不疑惑人，但是一個心裡動搖而不知足的人，常起各種的疑惑。自己既不安靜，也弄得別人不安靜。他常說不該說的話，所應該做的事卻置之不理。他留意人所應當做的，自己所應當做的卻置諸不問。所以你先要對自己關心，然後才能關心鄰舍的事。」

是為序。在廿一世紀開始的希望時候。

卷一：舊情綿綿 012

記憶之所以美好，
乃是它在停止之處就不再隨時間而折舊，
到了後來，甚至時間的痕跡都被抹盡。

contents

卷四：最好的愛情

原意不是爲了傷害
只是爲了留存快樂的回憶
但人們畢竟仍然年輕
必須學習懂得記憶
它於今成了危險的武器
一枚定時的炸彈……

——英國桂冠詩人泰德·休斯

卷六：時間之末

時間是什麼？我本來似乎還知道；

contents

我們所作的一切都在黑暗中
單獨而未得到時間的幫助
我們懷疑這究竟是否
爲一場歡迎儀式做準備
或祇是永遠的訣別！

——塞爾維亞詩人波巴

但一被問及，就反而什麼都不知道了。

——神學之父聖奧古斯丁

卷 1 舊情綿綿

記憶之所以美好，
乃是它在停止之處就不再隨時間而折舊，
到了後來，甚至時間的痕跡都被抹盡。

記憶不堪重遊

記憶經常是一種弔詭，它不隨時間而漫漶，反而愈來愈在鄉愁的懷舊中發揚宏大。

小時候住在台中水湳，旁邊是條小溪，村後則是台灣最早的實驗性麥田。我在那裡一直讀到小學三年級，而後即舉家南遷，水湳是我最早的記憶。

在記憶裡，那條小溪寬廣無比。媽媽們在溪邊洗衣洗菜。那時的人洗衣服，還興將衣服放在大石上用木棍敲打，敲得砰砰作響。而小孩上學則沿著溪邊麥田的田埂一路走到學校，隨手扯下麥穗放在嘴裡咀嚼，最後會嚼出一小團像麵筋一樣的團塊。大人們都會警告小孩，要走田埂而不要太靠近溪邊，以免摔下去被水溺斃。那條小溪彷彿大河一樣讓人恐懼，除了幾個有石灘的地方可以玩耍外，那條小溪是兒童的禁忌。

隔著溪，對面是另一個村落，有家人大概開賭場，這邊的爸爸們入夜都過橋去那邊賭牌。有次警察臨檢，封住橋頭，抓賭抓得雞飛狗跳，爸爸們一個個只得泅水過溪。事後左鄰右舍都聽到口角，媽媽們都在抱怨，晚上那麼黑還泅水逃警察，萬一淹死怎麼辦？

記憶裡那條小溪，不但寬廣而且急湍。大小孩們每逢假日，就喜歡用竹子編的大畚箕堵在溪上，整排畚箕再加上破舊蚊帳，通常都可撈到好多溪魚溪蝦。有年颱風過境，溪水溢到田間水溝裡，大家爭著堵水溝，還眞堵到不少魚。

記憶中的小溪，後來長期縈繞，愈來愈覺得它的寬廣。可是，這些都在重臨舊地後幻滅。不久前我去台中演講，由於離回程的時間還早，一個好心的同學特地開車讓我舊地重遊。哪裡還有什麼小溪和溪邊的竹叢？它只不過是一泓溝水，窄得可憐。溯溝而上，有幾段還有溪的形狀，但也清淺陃窄。我記憶中壯觀的小溪，或許從來就不曾存在過，只不過是因爲兒童的小，才襯出小溪的大；而後這個殘存的記憶即隨著我的長大而變寬變闊，最後變成了一條想像的大河。我後悔那次舊地重遊，它讓我美好的記憶從此有了無法彌補的遺憾。

這就是記憶，它和過去及現在無關，而是一種失去後的想像，一切都在想像中更加美好。它無需被證實，也不能被證實，想要證實的結果反而是將它摧毀。

寧願心中那塊美麗的感情化石
能成爲永遠無缺的回憶！

或許有一點我是對的，儘管後來有幾次見面的機會，我總是抗拒掉重晤初戀女友的衝動。不是古井不揚波，而是寧願心中那塊美麗的感情化石能成爲永遠無缺的回憶！

兩個撿炭的小孩

見到火車，總是會想起小時候那兩個跟在火車後奔跑，搶著撿煤炭的同學。

一九五〇年代的台灣，仍然貧窮，住在火車站附近的窮人家小孩，就多了一項額外的工作。他們爬過火車站後面的鐵絲網，在火車卸掉煤渣，填加新炭的地方鵠候。每當機車頭開來，就跟在後面跑，炭渣裡有些沒燒完的，可以扒撿出來再用；填加新炭時，炭塊會散得一地，迤邐好幾公尺，隨便一撈，就可撈到一把。不僅小孩撿炭，許多婦人也會加入那個行列。容忍撿炭是一種那個時代的仁慈，除非有人大膽到去炭堆裡偷炭，否則根本無人理會。車站背後的草堆裡，那個可以讓人鑽進鑽出的鐵絲網破洞，也就一直無人修補。

我們班上有兩個撿炭的小孩。由於學校離台南火車站的背後不遠，放學後他們常去撿炭，我陪著去過兩三次，多半是爲了好玩。從學校往火車站走去，不到十幾分鐘，就到了老的砲兵學校後面，一堆亂草裡的鐵絲網破洞，鑽進去就到了火車站裡

他們的臉孔我早已忘記，
但不知爲了什麼，每當見到火車，
我卻總是會回想起他們。

面。後來，老的砲兵學校變爲成功大學的新校區，有一年暑假我去那裡教課，舊地重遊，一切都已變樣。在電車的時代，當然已不再有撿炭的小孩和鐵絲網破洞。

而我卻一直記得那兩個同學。

有一個長得眞是端正，功課很好，他的毛筆字總是被老師貼在壁報欄上。他們家住在東門舊城門遺蹟下面的違章建築裡。四年級的時候，一場颱風，城門上面崩塌，他們一家人都死了。我去過他家一次，一點也不髒亂，爸媽和藹。長大後我回想那個家庭，能夠想到的形容詞就是「高貴的窮人」。

另一個同學長得比我還瘦小，但他可眞是厲害。他會撿炭，書包裡常放著一個馬蹄形磁鐵，每天去學校那個焚燒的垃圾堆用磁鐵吸迴紋針及大頭釘，他說可以賣錢。暑假他賣冰棒和台南特有的小螺絲——那種用辣椒炒過，黑黑尖尖，用嘴吸來吃的「伊螺仔」。

他小學畢業後沒再念書。我讀初中時，學校常整隊帶到台南體育場開動員月會。初二那年，在街上行進時，他突然跑過來打招呼，他已開始當路邊賣冰的小販。我高一時，有次在學校行進時又碰到他，他說已經娶了太太，隨著他的手指看去，他的冰果攤果然有個小婦人和我打招呼。等我念高三時，有次和媽媽去東門菜市場，又遇到他，已不再是流動攤販，他在市場裡有了攤位。後來我北上求學，再無他的音訊。但相信這種從撿炭開始的粗礪小孩，一定會有堅韌的一生。

撿炭的小孩，粗礪的時代，一個早夭，一個耐命地掙扎向上。他們的臉孔我早已忘記，但不知爲了什麼，每當見到火車，我卻總是會回想起他們。

暑假打工的回憶

又逢暑假，就想起以前暑假的打工歲月。

以前不像現在這麼富裕，暑假打工二至三個月，不但形同度假，每個月還有六、七百塊可拿，抵得上大半年的伙食費，因此，一到五、六月間，大家就拚命尋找打工的機會。

除了服兵役外，我總共打過四個暑假的工。有一年替某家上市公司的股東大會寫通知信封，兼當股東大會會場的工讀服務生。那眞是最難過的暑假，一百個信封才七元，手都快寫斷了，也寫不到幾百元，如果不是好在有基本薪，那個暑假就虧極了。至於股東大會，則眞是讓人眼界大開，一堆股東罵成一團，我們幾個工讀生都看得笑歪了腰。

除了那次暑假工讀讓人懊喪外，其他幾次都畢生難忘，分別在烏來山裡的那哮部落、南投水裡坑再進去的深山，以及嘉義的畚箕湖（後來改稱奮起湖）等地度過。

那哮部落當時還沒沒無名，多數是原住民，靠撿拾百香果以及種雜糧等為生，滿山都是百香果野藤，順手抓住用力拉扯搖動，百香果就像下雨般落得滿地。一個暑假下來，牙齒都吃軟了。我們兩個工讀生住在農家，沒有電燈，肉類都用塑膠袋包緊，放在清涼的溪水裡，可以多日不壞。每天清早起床去山裡工作，日暮而回，常邂逅野蛇，都有驚無險。兩個月打工下來，每日餐風飲露，眞是快樂無比。

至於南投水裡坑深山的那一次，印象至今猶存。山裡到處長滿萱草，加以深山大谷，氣象壯麗，山裡的人又格外親切，有世外桃源的感覺。別看它只是幾十戶的小野村，居然還有一間超小型的電影院，座位都是竹條凳，我在那裡看的都是平地看不到的老版《桃太郎》。至於那裡進出都是用小小的柴油拼裝車，看起來破爛不堪，跑得卻飛快，而且有驚無險。台灣中部始終有一種「山民」，他們離開平地到山裡墾殖，而且常涉及濫墾，我遇到的就是那樣的山民部落。

至於畚箕湖山內的那一次，就更值得懷念了。清早從台北坐火車到嘉義，再轉阿里山火車上畚箕湖，到站後再徒步兩個多小時，才到寄宿的農家，沿路背陰，到處都是螞蝗，但因人煙不多，一路上都可以看到漂亮的野山雞。阿里山的山好水好，似乎人也長得好看多了。我住的小村雖極窮僻，那裡的女人出門卻都作興打洋傘，怕皮膚曬黑。有一年在電視上看到奮起湖小學的畫面，看得出那些小學生果然是比較漂亮一點。

暑假打工是我求學時最快樂的記憶。可是，現在的人不再打工，他們的暑假樂趣是什麼呢？

遠離恐怖

英文裡，有許多字說「可怕」。而所有的「可怕」裡，程度最強、最具體也最抽象的，乃是「恐怖」（Terror），因此，遂「有被恐怖凍結」（Frozen with Terror）這樣的說法。

「被恐怖凍結」，真的把「恐怖」講得淋漓盡致。「恐怖」是一種驚恐和畏懼，它不只被嚇過就算結束，而會變成一種長期的焦慮。許多可怕的記憶都會在時間裡淡化，只有恐怖永遠不會折舊，每次回想起來，它都和發生時一樣強烈。它彷彿永遠不停的噁心與嘔吐，但卻吐不掉早已變成命運一部分的那種詭誕感受。恐怖是寄居在靈魂裡的異形，讓人完全束手無策。

我曾見過一個被白色恐怖折磨過的老人。他不管見到誰，說著說著就會大聲迸出「中華民國萬歲」、「蔣總統萬歲」之類的口號。他當然不可能相信他呼喊的這些口號，但被過度驚嚇的他，潛意識裡卻寧願相信全世界每個眼睛和每個耳朵都在監控著

恐怖是寄居在靈魂裡的異形，
讓人完全束手無策。

他，因而遂決定讓自己變成一個呼喊自己不相信的口號的機器。恐怖的眞正可怕之處，乃是它會將人改變，並臣服於他們不相信的事物。

而我也有過類似的不幸，它發生在二十年前我剛離開學校不久的時候。有一天，幾個大學認識的同學來找，到學校運動場的草坪上開了一個清談式的會。誰也沒料到，就那麼一次隨隨便便的清談，竟惹來將近二十年的麻煩。

那次清談過後一個多月，其中的一個人打電話來，說「事發了」，他們已全都被約談過，我是最後一個。第二天我一大早上班，安全室主任就正式通知我到調查局去約談。一個科長、一個調查員、一個記錄員，折騰了大半天，最後以「非法集會」、「年少無知」之類的名目結了案。倒是做筆錄、蓋手印，花了不少時間。

而約談並非結束。從此以後，就不斷被打擾威脅。由於有了「案底」，我在上班的地方已無法升級，同事也開始用異樣眼光來對待。我原本是個還算爽朗的人，後來愈變愈陰陽怪氣。我從此以後不再喜歡接近陌生人，對別人的示好也都心生懷疑。我覺得自己愚蠢，擔心將在這種陰陽怪氣的寂寞裡鬱鬱一生。我有一段時間頹廢放縱，不知道這究竟是自我放棄呢?或是藉此來變相的自我保護?

而天可憐見，我慶幸自己從那樣的畸變中走了過來，而沒有變成那個呼口號的老人。由於有過身受，知道何謂「受苦」，遂對同樣遭遇者最能感同身受。看著那些人又在抓這個、抓那個，我昔日的那些恐怖記憶又被喚醒，並開始刺痛。我們什麼時候才有可能遠離恐怖！

散步於墓園

小時候曾住台中鄉下，附近有墓地，鄰村小孩在這裡放牛，我們則常去玩耍。當對墓地不那麼害怕，遂反而能從其中體會到一些生生死死的意義和歷史的偉大與滄桑。

這也是當我到外地，如果時間許可，總會央求朋友帶我去墓園造訪的理由。墓園又稱「死亡建築」，它具有許多歷史的刻痕。據我所知，近代東南亞華人研究移民史和家族誌，拓印墓碑即是最重要的史料之一，許多極爲傑出的研究都從墓園的爬梳中而來。

最近讀了耶魯法學院教授史蒂芬．卡特（Stephen L. Carter）所寫的一本書，原來他也是個喜歡逛墓園的人，他如是寫道：

——我經常樂於到墓園散步。墓園提醒我必死的生命無法永久，讓我知道更要努力盡到自己的責任與良知。墓園提醒我信念的永恆，而生命的義務是超越，並非偶然。墓園如同寂靜的祈禱，使我知道我並非完全屬於自己，我因而找到了平安。此刻是七月的清晨，墓園寧靜寒涼，我們沿著蜿蜒小徑，一路讀著碑石上漫漶的銘刻，陶醉在聖潔的靜謐中。

在西方，十八世紀後半才出現今日的墓園；亂葬崗被取消，新的建築理念被帶進死亡這個領域，使得墓園成爲被懷念築成的死者伊甸園。碑上刻著溫柔的記憶，也從十九世紀初起，成爲一種文化習慣。墓誌銘經常眞情動人，或閃爍著知性的光彩。就以耶魯大學爲例，它附近的墓園就葬著歷代耶魯名流。耶魯前任校長，也當過駐英大使的布魯斯特（Kingman Brewster）即在這裡。墓誌銘上面所寫的是他一生的信念與成就。他當得上一代教育家的美名：

——認爲所有的人都純正無邪，不只是法學上的概念。它是一種精神上的慷慨大度，假設所有的陌生人都是最好的，而不是最壞的。

由布魯斯特校長的墓誌銘，就讓我想到已故美國桂冠詩人賓·華倫（Robert Penn Warren）晚年所寫的名詩〈並非死亡〉。賓·華倫的詩原本即富有深邃的知性光彩，到了晚年，更蛻變爲一種對死亡的神祕渴慕。死亡是浩渺的夜空宛如飛逝的碎片般歸於永恆。死亡是彷彿陽光般形式的完美。對賓·華倫而言，人生的追求就是由渾沌歸

人生的追求就是由渾沌歸於洞識，
由騷亂歸於寧靜合一的過程。

於洞識，由騷亂歸於寧靜合一的過程。他的詩開首的幾句就可概其其餘：

並非死亡，只是承載著智慧的重量
何等漫長且痛苦始得以
到達此境。

讀賓・華倫的詩，再回想布魯斯特的墓誌銘。我忽然驚覺到，已好久沒有再到墓園散步了！

祕密的記憶盒子

梅・艾考特（Louisa May Alcott, 1832-1888）所寫的《小婦人》，是一部很好的親情及成長小說，裡面有許多瑣碎的細節，很能反映十九世紀普通家庭的種種溫馨。印象最深的，乃是那個時代，子女眾多的家庭，總是喜歡在家裡編壁報以相互取悅。每個人也都會有一個藏著自己祕密的箱子。那是家庭和自己記憶的一部分。裡面都不可能有什麼值錢的東西，但將來一旦從閣樓將箱子找到打開，一大半的人生就靠著這些瑣瑣碎碎的小東西，而重新活了回來。

每個人都有一個這樣的箱子。《麥迪遜之橋》裡，那個媽媽也有這樣一個小箱子，那是她感情的祕密遺跡，只能自己守護著，沒有別人可以分享。記憶因惘然而偉大，箱子裡的每個小東西其實都是每個生命誌的紀念碑柱。

而我曾有過一個遺失掉的紀念餅乾盒。它藏著我早年求學離家前的種種記憶。小學那個小女生所寫的字條、拔下來的牙齒、少年期未寄的情書、幾張父親殘存的照

記憶裡的人不會衰老，
記憶裡曾發生的過去也就像畫面停格那樣靜止下來。

片、初高中的放榜通知單，和那個時代扣在制服上的學校標誌。一大堆瑣碎的小東西，但它們卻都在舊宅拆除的混亂中無人理會的消失了。

後來，我又有了新的祕密盒子，瑣瑣碎碎的小東西更多了。雖說年歲漸增，但每當摩挲之餘，仍難自已。

我的祕密盒子裡有她的幾絲頭髮。那是以前幫她拔白髮時留存到今的回憶，好多好多年都已過去了，每次看到那幾縷髮絲，過去的種種就彷彿都走回到眼前。

每件小東西都是個大記憶。有她手繪的耶誕卡片；她自己動手剪出來的剪影；一起撿回來的橡樹種子；好幾個她給的小水晶。後來因誤會鬧翻了，說要退回所有的信件和照片，我則留下了唯一的那一張。那是她白衣白裙的青春歲月。

記憶之所以美好，乃是它在停止之處就不再隨著時間而折舊，到了後來，甚至時間的痕跡都被抹盡，而變成一種純粹的形狀。記憶裡的人不會衰老，記憶裡曾發生的過去也就像畫面停格那樣靜止下來。記憶就像作文時寫到「從此以後」就把筆停了下來，一切都變成了虛虛懸著的白茫亮光。記憶注定不能分享，也無需被分享。

我有一個祕密的小盒子，祕密的守護者。其實就在守護記憶的同時，我真正守護的，不過就是那個未曾實現過願望的自己！

回想租書攤販的日子

最近看了一則報導和一本書，勾起了小時候流動租書攤的回憶。

民國四十年代的台灣，多數人都相當貧窮，老式的眞空管收音機都已是奢侈品，更沒有閒錢來買書，於是，逐出現流動租書攤這種行業。許多人的課外閱讀經驗都由此開始。

記憶中的流動租書攤，是一台略大的板車，釘著幾排書架。攤販老闆踩著它，每週一次到我們村裡租書，從下午一直到晚上，都停在村口廣場，兒童書則可現場席地而坐閱覽。那個時代沒甚麼娛樂，閱讀小說漫畫已是最大的消遣。但是，這種流動租書攤並未持續太久，就被村裡人自己開的租書店取代。我一直懷念租書攤夜晚時分所點的臭臭底電石氣燈，想著都會泛起一陣思古的幽情。

而流動租書攤似乎也不是台灣的發明。德裔美籍的前代重要學者羅文塔（Leo Lowenthal）在《文字・俗民文化及社會》一書裡說過十八世紀的英國俗民文化。當時的英國剛開始走向現代，文字出版也剛起步，而人民卻無太多閒錢買書，於是租書店性質的「流通書館」遂告應運而生，它早期有一些也採流動租書攤的形態；除此之外，諸如理髮店等也都會買書，讓等候的客人閱讀。租書行業興盛的那個時代，也是英國文字快速發展的時代。租書所造成的閱讀行爲，甚至還影響到寫作及出版裝訂的模式——那個時代的小說都寫得較長，分成上中下三册裝釘，如此說能讓租書業者和作者有較多收益；它正如同台灣的租書時代，武俠小說都寫得極長，但卻分成十册裝釘，每本都薄薄的，一天就可閱讀十幾本。

而到了今天，差不多的國家都已不再有租書這個行業了，台灣的租書店也快速的沒落中。相反的，則是類似行爲卻在非洲剛要開始。非洲的肯亞內陸非常貧窮，加以在沙漠中，車輛無法穿越，當地人別說閱讀，甚至連小學教科書都不夠用。爲了解決內陸的閱讀問題，肯亞政府還推動「流動圖書館」計畫，該計畫的獨特，令人驚奇。

肯亞的「流動圖書館」，由職員牽著三匹駱駝而成，前面的駱駝馱著兩口箱子，裝了大約五百本書。第二匹則馱著露營的營帳等，第三匹則是準備換手的駱駝。一人三駱駝，就這樣跨越沙漠，爲要讀書的人服務。由肯亞的「流動圖書館」，可見對世界上許多貧窮國家的人，讀書是多麼艱難而珍貴的事！

由台灣以前的流動租書攤販，到肯亞的駱駝「流動圖書館」，我們怎麼能不更加珍惜現在這種良好的閱讀機會呢？

詩是等待著的邂逅

從小就喜歡詩，不但讀，而且寫；有陣子還笨拙地核對著詞譜韻譜學塡詞，而後，既興奮又羞澀地偷偷塞給仰慕的女生，焦灼地鵠候著難以預期的回信。

這就是詩的到來，它經常和懵懂的情感啓蒙相連。那是個絕大多數人都會經過的人生階段，我們對剛剛萌芽的情愫充滿了好奇、嚮往與不安，於是就用詩來表現這種不知能向誰說的朦朧。人生只有初戀時最像詩人，對每一個字，每一句話，甚至每個姿勢都敏感至極。詩是人們學著用語言表達眞實自己的開始。

我總懷念那段詩之年紀，周遭的一切似乎都有了意義，口袋裡放著隨時作札記的小紙片，經常一掏就是一大疊。愛詩雖然難免有點爲賦新詞強說愁的況味，但心靈變得敏銳而且能去感覺別人，則無疑是詩的恩賜。當年紀更增，與詩告別，生命被其他例行的名韁利索綑住，這時候，失去的不再只是詩而已，卻是能去感覺的能力和那一分素樸的善良。

詩在人生的門口張望，
需要人們走向前去邂逅。

多年之後，有次在街道上遠遠望見一個走近的人影，彷彿就是那個昔日爲她寫詩寫到顚狂的殘損記憶，一陣昏厥和惘然，不是爲了那未完成的愛戀，而是爲了那已無法返回的詩的歲月。

詩是情感細胞的起源，十二世紀的歐洲人規定必須讀詩寫詩，不能說沒有微妙的道理。當代美國詩人蓋瑞・史耐德（Gary Snyder）有一首短詩〈我的詩如何來到〉：

它魯莽地撞進
夜巖堆上，停駐
瑟縮在外
離著我的篝火
我走前去與它相會
在這光之邊緣

史耐德的詩深受唐代寒山子以及日本俳句的影響，語句精純無比，直透事物本質。他把詩看成是曠野裡的一匹小獸，夜晚魯莽但又好奇，卻也不安地闖入露營者的營地，遠遠站在篝火的跳躍火光之外，在那裡羞澀地逡巡。它在那裡探訊，一如詩在人生的門口張望，需要人們走向前去邂逅，營火的光之邊緣所躲藏的是曠野的奧祕。

這是一首極好的哲理詩，而無獨有偶的是，法國當代人類學家李維•史特勞斯也說過：「藝術與詩，是二十世紀想像的國家公園。」無論比喻成「想像的國家公園」或「露營的野地」，詩都是豐富的未知。它在那裡等著人們相會。

不能面對的小小

小時候，家裡養雞，從清晨放雞、餵食到黃昏收籠，都是我的工作。雞會認人，會圍著啄啄喧鬧，連成一條小小的感情線。

因此，當雞長大拿出去賣，或過年過節，我總是一把鼻涕、一把眼淚的哀傷不已，並因此而拒吃雞肉多年。那是刺人欲痛的小小死亡。它傷害到了童稚的心靈。

小時候，也養過一隻小貓，黃白斑紋的家貓。後來牠失踪了，村前村後到處搜尋無著，大家哭了好多天。那時鄉下還作興將貓吊死在樹上，住家很遠處有片雜林，常見被吊死的貓咪，我還特地走去尋找，也未見下落。過了好久，村後蔗園收割已完，去玩耍時看到一張枯乾的黃白斑紋貓皮，爲之大慟。從此以後，我就拒絕再養任何動物，不爲別的，只是不想再經歷那種小小的死亡。小小的死亡由脆弱、無助、溺愛等組成。正因它的小小，反而更能鑽進感情的縫隙，不易忘去。

而這種對小小的死亡的恐懼並不容易傳遞。我的小孩從很小開始，就黏著說要養這個那個寵物，但都被我拒絕，因而招致他們的抱怨，說老爸沒有感情。稍早前，因為讀書而住宿在外的小孩自己養了一隻波斯貓，但因照顧不來，只好拿回來養，讓我又回到了自己孩童時養貓的過去。每天都和牠玩耍、逗弄。但經常就在和貓咪嬉弄時，卻又莫須有地想到，到了某一天，又將如何面對可能到來的小小死亡。每想到此，卻又暗恨自己為何依然那麼容易無謂地感傷。

我有好幾冊貓詩集，幾乎每冊詩集裡都有多首詩講到這種小小的死亡。印象最深的是英國後期浪漫女詩人羅塞蒂（Christina Rossetti,1830-1894）所寫的〈一隻貓咪之死——詩致一個活了十歲半的好友〉。羅塞蒂的詩以感性細膩、並多有神祕意涵著稱，愈到近代，愈被推崇。她在這首為貓悼亡的輓歌裡，開宗明義就以這麼強烈的句子為始：

當一個女子的貓咪靜靜逝去
她的哀傷誰將與說？
誰能數得清她的淚珠
為她多年的摯愛？
能對誰傾訴這幽黯的沮喪

小小的死亡由脆弱、無助、溺愛等組成。
正因它的小小，反而更能鑽進感情的縫隙，不易忘去。

對她面對的小小死亡？

她的貓咪逝後，被安葬在一處小小的墳塋裡。她的詩最後在這麼低沈的句子裡結束：

不管誰經過
貓咪躺下的小小墳塋
請腳步放輕，放輕
不要驚擾到牠小小的永睡！

回想中部小鎮的騎樓

台灣的街道，最有特色的就是騎樓。而騎樓最有古風的，則可能是中部小鎮那些將騎樓廊柱下半截漆成紅色或藍色的老街道。

早年求學時，我去得最多的地方，就是中部各小鎮。當第一次看到那種和台北各老街迥然不同的騎樓，很對它那種鄉下式的俗艷覺得驚奇。中部小鎮的街屋，以前多半都只有兩層，樸素得方方正正，未見任何藻飾，而騎樓廊柱也沒有任何設計，就是直通通一根水泥柱，許多地方將它的下半截漆上顏色，多半是要藉此來增加廊柱的視覺層次。這種街屋和騎樓，的確可以說相當簡單，而且都簡單到可說是簡陋的程度。

但只要在這裡住上幾天，卻可發現這種騎樓才是眞正的騎樓。台北的商家從很早開始，就已將騎樓收回自用，將商品架從店內推往騎樓，加以建築不斷翻新，騎樓已失去那種統一的美感。但中部小鎮卻不然，店舖沒那麼大的競爭壓力，商家自然犯不著占用騎樓；加以小鎮街道的建築劃一，遂使得全部的騎樓得以連接成一條紅紅或藍藍的長廊。在酷日下，白牆、紅柱藍柱參差，加上廊間幽影，看著都覺得心裡舒坦。

騎樓所代表的乃是一種文化上的慷慨，
這種好心在全世界並不多見。

間或有一、二好心人家在騎樓下放著奉茶的茶几，更讓人對這種小鎮懷念不已。中部小鎮的許多事情我都遺忘殆盡，但總是記得那些紅紅藍藍的騎樓廊柱。

我一直懷念著中台灣小鎮那些簡拙但卻本色的騎樓。無論研究建築或城市文化者，都一定會承認騎樓的重要。騎樓是福建及台灣這種酷熱而多雨地區的獨特空間設計，土地和建築屬於私人，騎樓則給不特定的別人使用，因此，騎樓所代表的乃是一種文化上的慷慨，這種好心在全世界並不多見。正因爲有騎樓，不必曬日淋雨，逛街也才更有安心下的樂趣。台灣的人特別喜歡逛街不是沒原因的。除了讓別人免於日曬雨淋，黃昏時左鄰右舍搬張椅子，就到騎樓下閒聊玩耍，有騎樓遂有社區。

住過有騎樓的台灣，再到沒有騎樓的美國去逛街看看，就會有完全不同的感受。它們沒有騎樓，頂多只有在門口或櫥窗裝上遮陽棚，那是爲自己裝的。在這裡逛街，必須頂著太陽、頂著風，沒走幾家，就已興致索然，還不如乾脆回去郵購。

我喜歡騎樓所代表的慷慨，近年來台灣有許多新的商店建築學外國，只有漂亮的櫥窗，卻無騎樓。不知爲什麼，我總是打心裡就不喜歡這樣的店。這當然是偏見，原因是這種店失去了可以有的慷慨。大地震過後，從電視畫面上看到許多這種小鎮倒塌的騎樓，心裡悲傷，又勾起了我對小鎮騎樓思念的記憶！

阿里山神木之死

幾天前，參加了「阿里山神木保存及展示競圖計畫」的評審工作。這是神木終極關懷裡最重要的部分，希望藉著保存與展示，來維繫並重建人們對神木的集體記憶。不過，將這些稱爲對神木的終極關懷或最後關懷，其實都並非那麼正確。阿里山神木自從民國四十五年遭到雷殛後，就已死了。過去幾十年裡，被保存的只不過是它殘存的形體。而今，縱使這殘存的形體也告崩裂倒塌。因此，現在的人所做的一切關懷，符號性的意義遂大過一切。它是對神木形體的最後悼念。往後，當我們到阿里山，已不可能再看到它那矗立的殘幹，它將截斷平躺，供人瞻仰。神木將愈來愈從人們的集體記憶裡淡出。

以替神木料理後事的心情參加評審，心裡所想的卻是神木的命運。它曾兀自站立在阿里山上，經歷過三千年的風霜雷電，但一九〇六年它被人類發現，在被尊奉爲神木的同時，也是它厄運的開始。人群及火車呼嘯來去，它的根株再也不得安寧，而周圍環境不變，使它成了雷電襲擊的唯一鏢靶。一九五三年它首度遭到雷殛，將近半

由阿里山神木之死，
以及其他古老巨樹的厄運，
我們對樹的歉疚實在太多了。

枯，一九五六年再受雷轟，上半截全被劈除。從那時起，它就已死亡。而後殘軀朽壞，終至崩裂。

由阿里山神木的命運，也就不禁想起台灣其他地方的巨樹命運。台灣從一九九〇年起展開古老巨樹的調查和保護，許多國有林並規畫出許多千年以上巨樹供人觀賞。最慘的是達觀山（拉拉山）那二十二棵巨樹，不過八、九年，就已死了四棵，重傷一棵。重傷的那一棵，據說是被樹下烤肉的遊客引起的火災所焚，樹體燒焦了一半！所有的巨樹被人發現後，遊客如織，樹根的地就會愈踩愈緊實，難以呼吸蓄水，它們的受傷會從根部開始，再加上那些喜歡在樹皮上刻字的遊人，它們怎麼可能不折掉壽命？

想到阿里山神木和其他巨樹的厄運，就想到英國人對歐洲紫杉（Yew）的保護。有一個退役軍人梅瑞迪斯（Allen Meredith）經由心靈的感召，對可能是自然史上最古老的紫杉突然有了特別的靈視。他深信紫杉乃是人類與自然的捍衛者，因而遂傾其一生之努力，展開對紫杉的古樹保護。梅瑞迪斯的徒弟們最近才寫了一本《聖樹紫杉》，他們將古樹的神祕性一一娓娓道來。保護紫杉現在早已成了英國的全民運動。

由阿里山神木之死，以及其他古老巨樹的厄運，我們對樹的歉疚實在太多了。對樹都如此，何況對人呢？

西南聯大的舊教科書

以前在大學念書的時候，系圖裡有好幾本抗戰期間西南聯大所用的舊教科書。這幾本《普通物理》、《普通化學》、《普通微積分》的舊課本，由於年代久遠，早已完全沒有參考的價值。它們靜靜躺在圖書館的角落，借閱登記卡上沒有被借出過的紀錄。有次，我偶然發現到這幾本書，在好奇的翻動中，第一次觸及到了歷史的坎坷——歷史原來是可以觸摸的。

那幾本書的紙質都極端粗糙，與我們祭祀用的銀紙相差無幾。由於紙質粗糙而厚，一本三百多頁的教科書，感覺上彷彿有七、八百頁那麼厚。它的紙面不平，到處都是凸起的小團塊，一經翻動，團塊掉落，印在上面的字即告消失，彷彿開了一個個小天窗。我有一套光緒年間的《增補事類統編》，總計四十冊，雖已有百餘年歷史，但因紙質綿軟細膩，至今仍然可讀，它們比起西南聯大的教科書好了太多。

但儘管如此，那幾本舊教科書上仍然畫著密密麻麻的紅線，顯示以前的確有一個或許多買不起課本的學生將它借去用心閱讀。西南聯大是李政道、楊振寧們的時代，他們就是讀著這種課本長大的。

透過那幾本舊教科書，我對四〇年代有了更多心領神會的理解。書是歷史的痕跡，單單它的物質性裡，就已濃縮著過去。但不幸的是，有次我去系圖，卻發現它們已被撤走，趕忙去問管理員，答案是「被清理掉了」。我爲這幾本書黯然了許多年，因爲，從此以後我再也沒有看過任何一件足以說明那個時代的物件。前幾年，有一位印度朋友送我一套他們所辦的刊物，那份刊物有全球知名度，但無論紙張和印刷都極粗劣，可是比起西南聯大那幾本教科書，仍然好得太多。西南聯大代表了艱苦和坎坷。

也正因此，遂使我對鹿橋的那本小說《未央歌》，始終有著獨特的情結。當時，《未央歌》仍未在台灣再版，學校的總圖書館裡有一本大陸的原版，大家都耳聞其名，要排隊好幾個月才輪到借閱的機會。《未央歌》寫西南聯大的小男小女，它溫馨可愛，可是連一點點時代的信息都未曾在書中出現。看著《未央歌》，想著西南聯大那些教科書，到底哪個西南聯大才是眞正的西南聯大？梁實秋寫文章很少寫實景實況，但在《雅舍小品》裡他寫西南聯大教書的那個時代，多少也還透露出一點時代的訊息，太寫實和太不寫實，都是矯情，鹿橋是後者。

而我則始終懷念那再也看不到的舊教科書。

碑之印象

多年以來，始終對碑不能忘情。無論墓園裡的碑石或古老標示用的石敢當及路碑，以至大型的碑林，和特種紀念碑，都會引我駐足摩挲。碑是時間河流裡沈澱下來的沙礫，猶存人世的痕跡。

看碑讓人喟然。華府的越戰紀念碑是一大面寬口V字形的黑色大理石，鐫刻著數萬個死者的名字。碑形若攤開的手掌，又像伸展的雙臂。它的正前一片青草地，再過去是樹林。風從林梢吹來，掠過草地，有的嘈切憤懣，有的呢喃憂傷，但一到碑前，卻都轉歸靜謐。這是一種安魂，彷彿流淚的魂靈又重回母親的懷中睡著。

古埃及視碑柱爲死者與生者相會的門扉。或許也正因此，歐美許多城鎮都有碑銘拓本的研究會。大家去墓園尋訪並搨摹，軟炭筆和細棉紙，換回一張張印著家徽、特殊記號、族裔關係，以及墓誌銘的搨本。我們不作興寫墓誌銘，但若行經墓園，駐足而觀，一座座墳塋卻也都像死者之書一樣地述說著它的故事。有次在台北土城一座墓

碑是時間河流裡沈澱下來的砂礫，
猶存人世的痕跡。

園，看到一對天年而終的老者之墓，碑上刻著愛神的紋飾，竟然被感動得溼了眼睛，那會是多麼不可思議的愛情！

而看碑也有難過的時候。碧潭空軍公墓裡，有一長串十八、九歲就失去了性命的衣冠塚。那一個個小土丘，一方方書本大的碑石，許多甚至連署名的親友也都闕如，那是亂世的悲哀，地下埋著憾恨。

有一年到曲阜孔廟，後方是占地廣袤的碑林。橡樹參天，橡實落得滿地滾動。那是個冬季的黃昏，讀著碑記，寒鴉掠天，時間似乎也都變成了苔痕的顏色。翌日又登泰山頂，歷代的封禪碑沿山鑿壁而立，宛若又是另一個碑林；而泰山之外，峰巒一層層彷彿波浪般向前延伸。天風蕩蕩，碑壁如鏡，照出的都是歷史滄桑的容顏。

鑿石爲碑，疊石成塔，前者是人要在地上留存記憶，後者則是人要召喚天靈、與神對話。因此，石頭其實已非石頭，而是一個舞台，一則文本，述說著人間的曾經和未了。當代哲學家薩里士（John Sallis）曾經說過，他喜歡尋訪墓園，讀碑遙想，倚牆而聽，所珍惜的不外就是彷彿劇場的世界和人生。

而讀碑也會有驚喜。以前，碧潭斜坡上處，有一方小小的碑柱，上署「山水從此綠」，每次看到這幾個字，我都會想到它的背後，會是什麼樣的可愛故事！

寧爲ＬＫＫ

在識字者不多，而紙張亦極匱乏的古代，人們對文字、字紙，甚或書籍，都充滿了敬意，而且還經常會敬得過了頭，因而出現神話。

對文字的神話，以漢代的《淮南子》爲極致。書裡說道：「倉頡作書而天雨粟，鬼夜哭。」當人們發明了文字，可以用文字來記錄及思想，可以用文字來探究世界的奧祕，天地神鬼的重要性就漸漸失去，難怪要「天雨粟，鬼夜哭」了。

由於文字重要，印或寫著文字的紙張與書籍，當然也就同等重要。因此，從宋元話本，一直到明清小說，都有許多有關字紙和書籍的神話故事。紙張上如果寫了經文，它就會在夜晚放出光芒；喫了字紙灰，就可以讓人變得聰明，浪費字紙則會有惡報。這些神話使得人們不敢糟蹋字紙，對書籍則充滿敬意。撿拾字紙並成爲一種延續了很久的文化習慣。

文字、字紙，以及書籍的這些神話故事，反映出了古代人的心靈。依今天的角度

文字、字紙，以及書籍的這些神話故事，
反映出了古代人的心靈。

來看，它容或有點離譜，但就在這些離譜的背後，所顯示出來的卻是古人那一分虔誠敬畏的心。

然而，這種對文字、字紙，以及對書的敬意，到了現在卻早已在進步爲名的發展中被消融殆盡。以前識字者不多，少數的識字者遂用他們的文字來文以載道或探討知識，而今人人識字，文字語言遂成了瞎掰打屁的工具；以前造紙及印刷不發達，人們用書來印製經典，一本書可以讀十回百回，而今則人人可以出書買書，書籍和速食餐具相同，可以用後即丟。當書變成了消費品，不但書籍本身失去了人們的敬意，甚至連作者也同樣不再值得尊敬。

對文字、字紙以及書籍仍然心存敬意，在目前這個時代早已成了落伍的ＬＫＫ，但儘管如此，我仍然緬懷那個對書保有敬意的時代。有時候看著一堆堆輕薄短小的當紅書籍，這種緬懷就更深了。一本書要砍掉多少樹？對書保有敬意，不也是對樹的敬意的延長？書籍曾是文明的使者，對書保有敬意，不也是對文明的感懷？

十九世紀初，歐洲輕薄短小盛行，當時曾爲了這個問題有過論爭。歌德有詩如下：

說了一堆無意義

或者甚至將它寫下

當然不會死人或殺掉人的靈魂

所有的一切也不會改變半分。

但將無意義放在眼睛的前面

它卻會有這樣的魔力：

將意義綁上鎖鏈

卻讓人心成了無意義的奴隸。

對於書，我寧願選擇做個永不悔改的保守派！

杜鵑花招春天來

天氣乍冷還暖，杜鵑花就開了。

這是杜鵑的開花邏輯，一陣冷暖交錯，開花激素開始形成，於是，年幼而小株的，比較容易被氣候誆騙，就開了花。至於壯株和老株，由於飽經世故，還是要到淡淡的三月天才會吐艷。

因此，第一波杜鵑花多數都稀稀疏疏，花形也清削瘦瘠，彷彿不足月的早產嬰，又好像還沒有睡夠，就被匆匆叫醒向春天打招呼的睡眼，仍然兀自在那裡瞇著。

台北有杜鵑可眞算是一種福分。每當春節之後，杜鵑盛開，陽明山道、杜鵑花城，就一片花團錦簇，華麗萬狀。只有到了這時候，才知道古人將它稱爲「映山紅」的道理。以前台北的日式住宅多，南部喜歡朱槿、七里香，北部則喜歡杜鵑、金露花。每當開春，這些杜鵑花牆即告盛放。在印象裡，溫州街、青田街、中正紀念堂那片區域，以及濟南路一帶，杜鵑花都開得十分燦爛。只是這些住宅區相繼改建，住宅區的杜鵑花就變得少了。

多年前，高中畢業即北上求學。初到台北，從萬華車站的託運行李房領了腳踏車，就一路騎著閒逛。八月的台北一點也不起眼，它沒有南部那些開得十分狂妄聒噪的鳳凰木，也沒有花色亮麗的洋紫荊，或一片黃花的阿勃勒及鐵刀木。台北實在太沒有顏色。

可是第一個寒假後回來，卻一切都變了樣。平時拙拙而烏綠的杜鵑，突然改了新裝，粉紅、艷紅、橙紅、紫紅，還有雪白。花有兩種，有的適於剪回供養，單株賞翫；有的則非成片盛開，即不足以顯其華麗。杜鵑花屬於後者，它的盛況就讓人想到櫻花、桃花，以及有一年去美國看到的山茱萸的景象。

杜鵑的花色以紫紅和雪白最獲喜愛，也較稀少。紫是顏色中的至尊，華貴雍容；雪白則是色彩裡的仙神，清冷脫俗。台大校門口直直進去，第三、四個路島上的杜鵑皆爲老株，有幾叢盛開白花，偶見綠紋。春節後的花季芳菲時，一片雪花蓋頂，和其他花色的對比爭勝，那是最好的春天信息。

前人論花，可以單株賞翫的多獲青睞，以整片盛放取勝的則常被忽視。以前總把杜鵑說成是杜宇泣血所染成，華麗爛漫的花遂扯上了悲情。喜歡在悲情中耽溺的人，怎能欣賞到杜鵑花那種自由自在舒放的意趣？花海迷眼，杜鵑迎春，莫辜負了即將到來的盛景！

喜歡在悲情中耽溺的人，
怎能欣賞到杜鵑花那種自由自在舒放的意趣？

卷 2 開放生命

當一個人對世界的愛，
大到像聖方濟那樣的程度，
世界上的一切生命也將會對他開放。

人與鳥的偉大傳奇

二十世紀最傑出的作曲家，無疑的應屬法國的梅湘（Olivier Messiaen,1908-1992）。他晚年寫了大型歌劇《阿西西的聖方濟》，將這個十三世紀的聖徒做了很好的詮釋。前幾年，這齣歌劇曾在薩爾斯堡音樂祭再度公演，由戲劇大師彼得・布魯克（Peter Brook）導演，很是驚動四方。

《阿西西的聖方濟》是齣八幕劇，有好幾幕都與鳥有關。梅湘在中後期曾花了大量精神採集鳥聲，並將之解釋爲音樂，留下了許多與鳥聲有關的組曲。這些都在歌劇裡再度發揮。鳥在這齣歌劇裡占了極重要的關鍵位置。而鳥在聖方濟這個聖徒的一生裡，原本是最具啓發性的一部分。「法蘭西學術院」院士朱利・格林（Julien Green）在他所寫的《上帝的愚人——聖方濟傳》裡，有三次提到他和鳥之間的奇蹟：

有一次，聖方濟率同門徒走山路，倦極躺臥在地，「數百隻小鳥從四面八方向他飛來，鳴唱著，並以翅翼拍打著他，彷彿是上帝派遣來的一樣。許多停在他的手臂上、頭上和雙腿上，發出快樂的小小叫聲。帶路的農夫和三個門徒都驚訝得不相信他們的眼睛。」

另一次，他率同門徒到一個城市，「城外草地上各式各樣的鳥都在等著他，四周的樹上也全都是鳥，似乎當地全部的鳥都來了。」當他走近，沒有任何一隻被驚飛。他向這些鳥祝福，並對牠們講道，而後走進鳥群中，與牠們說話。當他向鳥群告別時，他稱之爲「我的鳥兄弟」的群鳥始告飛去。

第三次，則是聖方濟彌留之際。那是個黃昏，人們卻聽到雲雀們在他的屋頂高鳴，「在當地人的記憶裡，除了清晨，雲雀隨著日出而鳴外，從未在其他時間聽到過雲雀之聲。在那個黃昏，牠們則唱著對他的愛。」

聖方濟和鳥的故事，早已成爲中古後期偉大的傳奇之一。除了鳥的傳奇外，他還勸導過惡名昭彰的大野狼，要牠不再侵犯人畜，這隻野狼居然匍匐接受了他的教誨；此外，他有次乘船，漁夫送他一尾大魚，他將大魚放生，這尾魚遂一直繞著他乘坐的船快樂地舞泳，直到他上岸後，魚才離去。

聖方濟的門徒所記下的這些事蹟，眞僞已難稽考，但他終究留下了人類歷史上第一個人鳥如此相契的傳奇。這些傳奇宣示出一個意義，那就是當一個人對世界的愛大

當一個人對世界的愛大到像聖方濟那樣的程度，
世界上的一切生命也將會對他開放。

到像聖方濟那樣的程度，世界上的一切生命也將會對他開放。

聖方濟出身豪富，自幼紈袴，悟道後終生守貧，對一切有形無形的世界都謙卑感謝，無論大地、陽光或死亡，以至鳥獸蟲魚，都以兄弟姊妹相稱，或許這就是他能夠與鳥如此冥然相合的眞正奧祕吧！

薛西斯一世的快樂

古波斯的薛西斯一世（Xerxes I, 519-465 B.C.）是一代能君，他曾以龐大艦隊攻破希臘，洗劫雅典城。晚年大興土木，廣建宮室，並追求聲色之娛，極盡歡樂。但他也有不快樂，他說過：「我願賞他千條黃金，如果有任何人能告訴我找到快樂的新方法。」

薛西斯一世的這則故事，眞是最好的寓言。他擁有帝國、握著至高的權柄，並享盡人間的歡樂，但到後來他卻有了歡樂已窮，反翻爲空虛和百無聊賴的寂寞之歎。

而與他相對的，則是英國的十九世紀浪漫詩人濟慈（John Keats, 1795-1821）。濟慈視萬物皆有情有美，而且這種美的愉悅無垠無限。因而他遂說道：「聽到的旋律誠然美矣，而那未聽到的則更是甜美。」

兩個人物，兩種對比，他們都在追求人間的歡樂。薛西斯一世將歡樂外求，權力的快樂，征服的狂喜，女館裡妻妾成群，美衣美食則從不間斷。他或許滿足了慾望，

赫曼赫塞說：
「快樂是一種能力，而不是一種對象。」

但滿足卻不等於快樂。滿足會造成更大的饑渴，於是他遂格外要去尋找新的快樂方法，最後終於到了不再快樂的境地。

薛西斯一世的晚年活得孤獨而自閉，不知道這是否他無法再快樂後所造成的頹唐。但他的故事至少證明了一點：外求的快樂有時而盡，它的邏輯與鴉片類似，耽溺與空虛並存，快樂會被附送不快樂。赫曼赫塞說：「快樂是一種能力，而不是一種對象。」這句話倒可以替薛西斯一世的故事當成註腳。

有一個英國學者坎貝爾（Colin Campbell）以這兩個對比當作引子，提出了一個很有意思的觀念。他說，外求的快樂有時而窮，向自己裡面尋找的快樂卻永遠無限。前者是「一度享樂主義」，後者乃是「二度享樂主義」。他當然不是在鼓吹居陋巷，一簞食，一瓢飲那種顏回式的快樂；而是在替「濟慈式的快樂」尋找理論基礎。他說道，長期以來，人們早已習慣於一種「快樂——感官——奢侈複合情結」（Pleasure-sensuality-luxury complex），到了今天，顯然已需要自我提升。

「二度享樂」是對快樂的重新思考與重新定義。它主要是指文學藝術以及對美感經驗的掌握。它不以可慾之物爲對象，而是以有情有美的角度來和世界互動，由於它是感覺與想像，因而它沒有邊界；由於它沒有可慾，因而可以在自己裡面完成。「二度享樂」可以給人最純粹的快樂感覺，甚至還會被附贈變化氣質這個禮物。

近年來，我們的物質消費更盛，依賴式的、一窩蜂的商品與廣告快樂主義廣爲流行，於是，忽然想起了薛西斯一世那個追求快樂而終不可得的故事！

教宗爲詩

教宗若望保祿二世，從十九歲就開始寫詩，現在已七十九歲，整整寫了一甲子仍未輟筆。

若望保祿二世，原名伍傑蒂納（Karol Wojtyla, 1920—），波蘭人。他原先念文字戲劇，畢業後到採石場及化工廠做工，廿二歲再讀神學，廿六歲擔任神父，一九七八年選教宗，是近五百年來第一位擔任教宗的非義大利人。波蘭人是個詩的民族，幾乎一半的人都有過寫詩的經驗，因此，他的寫詩並不足怪；但在全世界的領袖人物裡，位階高至如此，仍然詩興未減，這倒是未有之特例。

教宗寫詩，都是宗教；以他的招牌詩〈分寸地〉（The Place Within）最爲出名。這首詩將「轉喻」用得非常巧妙而深刻。耶穌蒙難，門徒將祂抹油塗膏送入墓穴，祂的軀體在世上占了一席之地，而這一席之地卻也因此而轉變成億萬世人心中的方寸地。這首詩並不難，但我折騰了很久，卻硬是翻譯不出它的氣韻。該詩後半段曰：

「而今，讓我們走下窄徑，宛若穿越石牆，進入隧洞。昔日那些走下斜坡的人所站的地方，現在是一方石板。他們替祢抹油，放進墓穴。經由祢的軀體，祢在此世有了一席之地，並將這個軀體所占的外在之地，轉換成內在的方寸地，說道：『你們所有的人，拿走它，享用它。』這方寸地的光照及塵世萬邦，成爲我朝聖之旅的地方。許多世紀前標選了此地，祢在這裡給出自己，也接受了我。」

他也寫比較世俗化的說理詩。我最喜歡其中的〈漸老之思〉（Thoughts on Maturing）。敎宗寫這首詩的時候已近六十。彷彿細胞已成熟但仍敏銳，也好像樹葉即將離開枝幹走它自己的旅程。那是秋天的岸邊，平面與縱深開始的相遇，而這是非常艱難的邂逅：

成熟也是恐懼
培養的結果也是它的開始
智慧的起點仍是恐懼
以同一土壤的不同層面爲基礎
因而在此無需逃避
只是一種空間

我們度量生命的壯麗。
當發現已到了秋天的岸邊
恐懼與愛爆裂爲兩種相異的渴望
恐懼渴望回到曾經
而愛則要奔赴大愛合一
在這裡存在找到它全部的未來。

在人類文學史上，很少有人寫中年之後的心情，寫得像他如此坦白而自我期許的更不多見。這也是它讓人讀了後很低迴激盪的原因。他最有意思的是最後三行，可以大家同參勉勵；

當身體是自己未來的過去
每個人
是否能不把未來繫於肉體！

信與不信間雲朵自飄過

最近，英國的《獨立報》刊登了一則偌大的新聞，說的是聖母的現身。

美國喬治亞州的一個小農莊，家庭主婦是富勒太太，人們相信她是聖母的使者，不但藉著她的口來宣述旨意，有時還會以各種方式在她的農莊現身。於是，包括歐美、澳洲、日本以及拉丁美洲，遂有大約十萬人湧進了這個小農莊，將旁邊的小山坡擠得水泄不通，交通也爲之大亂。記者在兩三千字的長篇報導裡，有這樣的一段敍述：

「看啊，那就是聖母！」有人大聲嚷叫，於是，所有的眼睛和攝影機都朝向南方的天空，一片朦朧的藍天，點綴著蓬鬆的白雲。「看啊，那就是聖母，她抱著耶穌，還在移動！」我歪著頭東張西望，但卻不太能辨識出來。許多人拿著攝影機槍著拍，一直到他們認爲拍到了聖母影像爲止。「看啊，太陽開始旋轉了，每次聖母現身都會這樣。」我右手邊的一個朝聖者如此驚聲尖叫，但我看到的，卻只不過是一朵雲橫過太陽的下方。

如果你相信，而且你相信的被證明爲眞，
那麼，你將會對自己的信覺得快樂。

這是我所看過的，對所謂的「異象」最直接的第一手報導，以前有關「異象」之事，大都是輾轉的口耳相傳，它無法比對，因而遂成了「信者信其有，疑者疑其無」的自說自話。我們聽過太多諸如聖母像或耶穌像流下紅色眼淚的故事；也聽過許多顯靈顯影的傳奇，但因缺乏第一手的報導，它的眞僞和意義也就難以討論。

但這次聖母顯影現身則不同了，記者到了現場。他什麼也沒看到，只有雲朵的起伏移動，但信衆們卻從雲的形狀及移動裡看到了聖母及聖嬰的影像。同樣的地方，同樣的場合，同樣的雲朵，有的人看雲是雲，有的人則從雲裡看到了聖母聖嬰。看雲是雲的人不可能麻木，從雲裡看到聖母聖嬰的人也並非瘋子。這種奇怪的對比，印證了「人們只看到心裡想看的」這個道理。所謂的「境隨心轉」，大概也是這個意思。

十七世紀的教宗烏爾班八世說過這樣的名言，很值得再三咀嚼：

信總比不信好。如果你相信，而且你相信的被證明爲眞，那麼，你將會對自己的信覺得快樂；設若你相信，而你相信的會被證明爲假，但因你相信它爲眞，因而你仍將得到它如同爲眞的祝福。

烏爾班八世的名言是最著名的詭辯，也說明了信仰現象的某些本質。我們信，是因爲我們需要相信；我們看到，是因爲我們原本就希望看到。而對這齣信與不信的人間戲劇，雲朵則是默默無言的飛過！

柏克是我的老師之一

美國的「自由基金會」（Liberty Fund），是我一向尊敬的保守組織，最主要的原因，乃是多年來它一直出版並鼓吹十八世紀英國思想家柏克（Edmund Burke, 1729-1797）的著作及思想。我所收藏的柏克著作，大半都是這個基金會的版本。它裝幀高雅，透露著對經典著作的虔敬之心。

我曾在許多學術研討會或演講的時候，提到柏克，而且不吝惜我對他的推崇。有些朋友會奇怪地問道：爲什麼要推崇並重新閱讀這個十八世紀的英國保守派老骨董？我的答案是，這個世界從不缺少進步派和保守派，但絕大多數都是進步得沒是非及保守得沒道理，前者媚俗，後者頑固；舉世滔滔，能夠保守得有道理，而且堅守不渝者殊不多見，柏克即屬鳳毛麟角之選。對於像他這樣的人，可以不喜歡，但卻不能不尊敬。每當思想混亂，價值倒錯的時代就格外需要有柏克這樣的人出現。

我第一次接觸到柏克，是多年前在研究法國大革命這個問題的時候。而百多年前

他相信這個世界有一種內在的秩序，
但這種秩序卻很容易被媚俗者所摧毀。

法國大革命爆發，整個歐洲都爲之震動，知識分子們幾乎毫無例外地都在歌頌讚揚的這一方，但那個時代卻只有柏克一人起而反對。由於他和那個時代的「政治正確」完全不搭調，因而備受指責。然而，法國大革命過了兩百年之後被重估，人們到了這時候才回頭重新肯定柏克昔日的遠見。一個思想人物被冷落兩百年才被肯定，柏克這個異數，不正顯示出他領先他所處的時代有兩百年之久！

柏克是個値得注意並應予推崇的思想人物及政治家。他是保守的，乃是因爲他相信這個世界有一種內在的秩序，但這種秩序卻很容易被媚俗者所摧毀。因此，他對專門做無本生意的政客與煽動家毫無好感，也對容易被煽惑的群衆不予尊敬。他理想中的社會，乃是人們能夠有爲有守，能夠堅守不媚俗原則的社會。他說過許多不合時宜的話，例如「無節制之心的人不能享有自由」，例如他抨擊法國大革命的那些人物是在「做沒有本錢的生意」，但若細心的想一想，他的話可眞有道理。他在過了兩百多年後仍受到推崇，原因即在於他的拒絕媚俗裡有著難得的眞知灼見。英國的政治一向都較穩重，如果進一步思考，或許就會發現它和進步得有是非、保守得有道理，密切相關。蓋只有如此，眞正的進步始有可能。

多年以來，我深受柏克的啓發，並相信若一個社會有像柏克這樣的人看守著，這個社會就比較不容易被媚俗的激情所牽動。台灣研究學問的人從來都不重視柏克，許多人可能根本不知道他究竟是誰。或許我們已有必要改正這種疏忽了！

高羅珮——最後的文士官僚

最近，剛剛讀完一本很有趣的小書，荷蘭作家魏特林（Janwillem van de Wetering）所寫的《高羅珮的生平及其著作》。

高羅珮（Robert van Gulik,1910-1967）在國際漢學界，甚至整個亞洲文化研究界，都是個響噹噹的名字。我曾讀過他所寫的經典著作《祕戲圖考》，那是第一本研究中國色情文學的著作。除此之外，也讀過他以現代偵探小說手法改寫的《狄公案全傳》，那是部百萬字的大著作，寫得比〇〇七情報員，或克莉絲蒂偵探小說，及福爾摩斯探案還要好看許多倍，可惜的是台灣始終沒有人將它譯出。他是近代少有的才子。

高羅珮是近代少有的學官兩棲的精采人物。論當官，他做過荷蘭駐馬來西亞、韓國及日本的大使。論學問，他精通漢語、日語、梵文、爪哇及馬來語，還包括阿拉伯語。他可以用這些語言讀該語言之古籍，足見功力之深。他翻譯過梵文經典，參與過日本文獻的編纂和戰後日語的改革。以外國人治東方學問，而能與東方本身的學者並駕齊驅，直可謂古今第一人。

高羅珮的父親是荷屬東印度公司的軍醫，由於這段淵源，他從五歲到小學畢業，一直在印尼度過，而後返回荷蘭念中學到取得博士學位。他的碩士論文寫的是中國水墨畫，博士論文則談中日的佛教。他對中國書法極其喜好，後來成了每天必有的功課。

取得學位後，他即開始了外交官的生涯，先後被派往南亞、中東、東亞、美國等。在中國擔任公使期間，他娶了中國妻子，學會了吹笛子及各種文人雅士的癖好。他到每個國家，都不喜歡官僚式的酬酢，每天一定到大街小巷漫遊。他對文化及生活的愛好，反而使他有了更多各階層的朋友。他在當大使之前，都必須被上司管，而他的上司每次要找他，卻常常不見踪影。他就這麼名士派頭的過了一生，不但學問大，官也愈做愈大。他嚮往中國古代那種既是大學問家，而同時也是大好官的理想境界，而他眞的達到了那樣的境界。

閱讀《高羅珮的生平及其著作》，對他這種現代已幾乎再也看不到了的官僚名士，實在不由得既羨慕又感慨。如果當官的或搞政治的，能對文化或學問多一番懷抱，而不是栖栖遑遑的忙於酬酢與攀交，無論對己對公，那會多麼的不同！高羅珮的成功與受人敬仰，證明了這種可能性。而他琴棋書畫樣樣精通，梵語佛經各有專著，甚至包括如何製作線裝書也都留下精湛論文的一生，又是多麼的精采啊！

米開朗基羅也是大詩人

出生以來，就將美當作生涯的信念導引
它是我雕塑繪畫的亮光和鏡子；
如有人不做是想，則就大大錯誤
依靠著美，我創作的眼睛遂被帶到高處。

有些鹵愚的判斷將美降級爲感官
也的確動人並使健康的心靈樂如天堂；
但他們應知其劣質難使人進入神聖之境
如同意欲提升自己卻無美德支撐之徒然。

這是米開朗基羅（Michelangelo, 1475-1564）所寫的詩，編號第六十八首。幾乎所有的人都知道他可能是藝術史上最偉大的雕塑家及畫家，但知道他同時也是傑出詩人的卻可能並不太多。他的詩名被藝術上的大名所掩蓋，遲到近代，由於他的詩作被漸漸整理出版，人們才發覺他在文學上原來也如此光芒萬丈。他一生裡，總共寫了大約三百〇二首詩，很值得與他的雕塑及繪畫對照著來閱讀。

近年來，西方的藝術史觀丕變，好多本重要的著作都提出了一個關鍵的問題；在文藝復興時代的初期，雕塑及繪畫並未被視爲藝術，相關的工作者也只被當成「工匠」，而不是「藝術家」，但到了後來，這種情況卻終於被改變了過來。那麼，是什麼原因使得雕塑及繪畫這個行業由「工匠」升格爲「藝術家」的呢？

正確的答案應當是這樣的：它是當時一整代傑出的雕塑及繪畫工作者努力所致。他們不甘於被視爲「匠」，因而加倍努力，不但在風格上創新，更藉著用功而建造出美學理論。他們的努力成果獲得讚賞與回報，於是遂由「工匠」被升格爲「藝術家」。自己行業的地位，以及自己生命的意義，都在這樣的努力中得以完成。而米開蘭基羅就是由「匠」而「家」這個過程裡重要的代表。

因此，許多傳記將米開朗基羅寫成天才，這是一種以後人的觀點來解釋從前。眞正的米開朗基羅絕非天才，而是畢生努力著要替自己和自己行業爭尊嚴的「工匠」。他十二歲起就當畫匠學徒，而後在工作中努力自學並不斷自我提升，二十八歲開始寫詩。他的詩有一大半寫他的美學觀點。米開朗基羅的詩作毫無風花雪月，全部是一個偉大藝術家的生命腳印。他不敢看輕自己，而只有不看輕自己的才會成功，而這也是眞正的成功。

米開朗基羅的詩裡，以第九十八首寫得最深邃動人。他把自己的一生譬喻成狂濤裡的破舟，最後雖然能夠登上藝術的港灣，但藝術的成就是否就代表了生命的終極意義，他仍然有所懷疑。該詩最末幾行說道：

我以往那空洞而快樂的藝術之愛將如何？
當肉體及靈魂的雙死漸近，
前者我已確信，後者乃是惘惘的威脅
無論繪畫或雕塑皆不再能讓我靈魂安寧
期盼著十字架的神聖之愛
以祂張開的雙臂擁我入懷

對現世有不斷的追尋與謙卑，對他世有無盡的思念與渴慕，米開朗基羅之能成其大，眞不虛枉！

最大的風塵傳奇

皎皎霜華淡淡天，
木犀亭畔月初圓；
醉聞花氣三更後，
一枕秋香夢裡禪。

這是一首很工整細緻的「香奩體」詩，所謂的「香奩體」，主要是在描寫個人的即興感受，因而它多傷春悲秋，遙寄懷人。這種詩體在魏晉南北朝時興起，講究格律和用典。香奩體很難造就大詩人，但其婉約細膩，卻也獨樹一幟。

上面引的這首詩，出自王香禪之手。而提到王香禪，就難免讓人爲她抱屈。她是台灣歷史上少有的傳奇女子，而她的傳奇故事已很少人知道了。

王香禪，本名王罔市，台北艋舺人。由於家貧，自幼即墮入風塵，在台北和台南高張艷幟。由於她頗有才華，因而學詩學曲，周旋於仕紳之間，身價遂日益高漲，稍後並被連雅堂收爲記名女弟子。不過，她儘管多才，感情生活卻多坎坷，最後結識新竹的世家子謝介石，納爲續弦，相偕到中國大陸發展。

而說起謝介石，乃是近代極具爭議的人物。他出身明治大學，由於有日本背景，後來當過北洋軍閥張勳的秘書長，滿洲國成立後則任外交總長，後又轉任駐日大使。民國二〇、三〇年代有許多台灣人在大陸的滿洲國發跡，謝介石最爲顯赫，其他著名的還包括溥儀的御醫，汪精衛旗下的上海市長等也都由台灣人擔任。但那段偏離掉的歷史早已被遺忘，這些人的名字當然也就無法流傳。無論任何政治立場的人，都不承認那段歷史，王香禪更不會有人記得。

因此，遂讓人爲王香禪抱屈起來。在台灣舊文學史上，女性詩人極少，其中詩寫得最好的就算王香禪了。她的詩雅致工整，雖然沒有太多具體的生命內容，但她的一生由貧女而入風塵，在風塵的有限天地裡上進自學，最後又因緣際會成爲總長夫人，這種風塵傳奇眞可謂古今罕見，唐朝的薛濤、宋朝的李師師，恐怕也都不能與她相比。王香禪是一則最大的風塵傳奇。可惜的只是她已消失在歷史的盲點中。

這就是歷史的殘酷。當它出現盲點，整段歷史和歷史裡所有的人就會被全部刪除，也被全部遺忘。日治時期許多台灣人在滿洲國及汪精衛政府裡發跡，那段歷史無

王香禪的詩大都清雅可愛，
代表著她追求上進的生命歷程，
單單這種風塵傳奇，就不應當被忘記！

論光彩或不光彩，都是歷史造成的，將它一筆抹煞，都不算公道。

王香禪的詩大都清雅可愛，代表著她追求上進的生命歷程，單單這種風塵傳奇，就不應當被忘記！

孔子和盜跖的辯論

《莊子》的〈盜跖篇〉裡，以寓言的方式，說了一則虛構的辯論故事，它的意義非常現代。

盜跖是春秋時代的黑道大首領，徒衆九千人。他橫行天下，爲所欲爲，既奪人財產，又掠人婦女。孔子由於和盜跖的哥哥是朋友，遂自告奮勇前往開導，希望使其改邪歸正。孰料盜跖並非省油的燈，一場辯論下來，孔子毫無招架之力。當他離去時，「目茫然無見，色若死灰」，手發抖得三次抓不到轠繩，而上了馬車後，頭靠在橫木上，只有喘氣的份，可見這場辯論有多麼嚴重。

這場辯論，看起來的確是孔子輸了。那個時代正值天下大亂，孔子以不忍之心，周遊列國，希望能夠改革政治與社會，讓百姓過好一點的生活，他是個必然失敗的英雄。但盜跖則不然，他長得高大英俊，「身長八尺二寸，面目有光，唇若激丹，齒如齊貝，音中黃鐘」，而且人也聰明絕頂。他和孔子一樣看到了世界的混亂和是非不明，而後他用一種不可能存在的最高標準來否定一切，並用以證明世界的沒有意義。

孔子雖不能讓世界變好，
但至少他給了世界變好的可能性。

既然如此，人們何必像孔子一樣活得勞累而又「知其不可而爲之」的那麼自欺呢？於是盜跖遂說：

——「人上壽百歲，中壽八十，下壽六十。除病瘦死喪憂患，其中開口而笑者，一月之中，不過四五日而已矣。天與地無窮，人死者有時，操有時之具，而託於無窮之間，忽然無異騏驥之馳過隙也。不能說其志意，養其壽命者，皆非通道者也。」

這乃是盜跖的人生觀：世界沒有意義，一切都只不過是弱肉強食，而人爲的努力並不能使其改變。人生苦短，歡樂無多，最後也最好的選擇，即是一切率性而爲，完全照自己的慾望去活，將身體的慾望和身體的權力發展到最高點。他所謂「目欲視色，耳欲聽聲，口欲察味，志氣欲盈」，其義在此。盜跖將強者恣意而爲的哲學講到這樣的程度，孔子除了氣急敗壞，倉皇而走外，已無復他言。

孔子和盜跖這一場虛構的辯論，乃是人類思想史上，人文主義和虛無主義間最重要，同時也是最典型的爭論。這種爭論每隔一段時間，就會以不同的面目出現。近年來，世界思想再趨混亂，許多地方都可看到孔子和盜跖這場爭論的影子。

儘管孔子被盜跖氣得倉皇而逃，但千百年後，我對孔子那種知其不可而爲的悲劇人文英雄風格仍願獻上尊敬。人人都像盜跖的世界只會愈變愈壞，孔子雖不能讓世界變好，但至少他給了世界變好的可能性。而人的高下分野，也就在此顯露。

眞假莫札特

曼紐因（Yehudi Menuhin）是本世紀最傑出的小提琴演奏家之一。我一直喜歡他那種比較自由花稍的反傳統風格。當他逝世，我重新逐一聆聽他的唱片，不無感觸。尤其是聽到那一張他一九三四年所錄的莫札特之〈愛德蕾德小提琴協奏曲〉，感歎之餘，更不禁啞然失笑起來。

〈愛德蕾德小提琴協奏曲〉，除了曼紐因的演奏錄音外，已幾乎再也找不到了。它是所謂的「僞造音樂」裡最著名的曲目，其中頗多公案。

本世紀初，歐洲出現了兩位極有才華的小提琴演奏家，一個是奧地利的克萊斯勒（Fritz Kreisler），另一個則是法國的卡薩德蘇斯（Marins Casadesus）。他們都不僅琴藝高超，而且亦擅作曲，克萊斯勒自己所寫的獨奏小品如〈愛之喜〉、〈愛之悲〉，早已家喻戶曉。但除了自己署名的曲目外，他也寫了許多僞託古人之作。最著名的乃是他冒名寫過韋瓦第小提琴協奏曲。到了老年，他才承認那些冒名之作都出自他的手

藝術創作最可貴的乃是風格之創造，
當某一種風格出現，
後繼者即很容易依樣畫葫蘆的模仿或僞造。

筆。

克萊斯勒的僞託古人，算得上是作假，但其嚴重性卻比不上卡薩德蘇斯。卡薩德蘇斯於一九三〇年宣稱發現了一首莫札特的小提琴協奏曲，他並說該曲是一七七六年莫札特十歲時所作，獻曲的對象是路易十五的女兒愛德蕾德公主（Adelaide），遂名爲〈愛德蕾德小提琴協奏曲〉。

對於卡薩德蘇斯的「發現」，當時的樂壇都很好奇，但他卻始終拒絕提出手稿供人研究，因而大家都對這個作品半信半疑。但因該曲寫得中規中矩，而且確有莫札特的風味，因而當時的演奏家頗喜歡演奏。一九三四年，曼紐因才十七歲，跟隨著這樣的潮流，遂替 EMI 唱片公司演奏並錄製了這首曲子。到了一九七七年，卡薩德蘇斯才承認乃是他冒名之作。從那個時候起，似乎已沒有任何大演奏家再演奏過這個曲目。

因此，EMI唱片公司將曼紐因的老錄音重新發行，實在是對大師的褻瀆。不過從另外一個角度來看，曼紐因演奏這首「僞造音樂」時年方十七，縱使有看走眼之譏，但在那個時代，其他演奏家演奏過該曲者頗不乏其人。他演奏的這首協奏曲其實也沒什麼大不了的過錯，反而是因爲他的舊錄音，今天的我們才可以聽到已極難再聽到的「偽造音樂」了。

所有的藝術創作都有贋品存在。藝術創作最可貴的乃是風格之創造，當某一種風格出現，後繼者即很容易依樣畫葫蘆的模仿或偽造。聆聽〈愛德蕾德小提琴協奏曲〉，它簡直比莫札特還像莫札特。但像又怎麼樣？有關莫札特的「偽造音樂」多達四百首左右，每首都很像莫札特，但無論多麼像，它們終究不是莫札特！

黃金頭腦的哀歌

我最近正在讀艾瑞絲・穆鐸（Iris Murdoch, 1919—）以及她的徒弟有關倫理學的著作。

艾瑞絲・穆鐸乃是台灣比較不熟悉的名字，但在當代日盛的「回歸倫理學」的趨勢下，她卻是極重要的祖師婆級的人物。英國的 Routledge 出版公司最近剛出版的《二十世紀一百大哲學家》裡，她是其中之一。該書列名的女性哲學家只有四人，分別爲德裔美國籍的漢娜・艾倫特（Hannah Arendt, 1906–1975）、比利時裔法國籍的璐西・愛瑞嘉（Luce Irigaray, 1936–）、保加利亞裔法國籍的克莉絲蒂娃（Julia Kristeva, 1941-）。艾瑞絲是英國人，長期以來一直是牛津聖安妮學院的哲學教授。

艾瑞絲・穆鐸以倫理學享譽，但研究當代文學的，多少也聽過她的名字。她同時也是著名的小說家，寫過非常智性的小說，多達二十六部。她是近代少有的黃金頭腦。

有個旅美的學術界朋友知道我崇拜艾瑞絲•穆鐸，就在最近，他寄來了幾份剪報，是有關她早老性癡呆症的報導。一顆有如黃金般的頭腦，卻發作了早老性癡呆症，這是多麼讓人難以忍受的事！

艾瑞絲的早老性癡呆症發作，是她的先生，著名的文學教授貝利（John Bayley）所透露出來的。

他最近寫了一本《艾瑞絲的哀歌》。他以半本寫他們以前的生活，另外半本則寫艾瑞絲發病後的生活。書裡寫道，前幾年有次她到以色列出席一次學術會議，就在會場上發病，而後立即送回英國，於是，她的病就日益嚴重，現在差不多已到了只有三歲小孩那樣的程度。她不能出門，會找不到回家的路，甚至已不會認人。她吃飯穿衣都需要幫忙。昔日那顆光輝燦爛的黃金頭腦，現在已進入另一個黑暗世界裡，艾瑞絲在那片黑暗中孤獨的漫遊。她會在孤單恐懼時發出像小貓的哭泣。只有看電視兒童秀時，她才會像兒童般的手舞足蹈。

許多英國人對她的丈夫寫出這樣的書很不能接受。艾瑞絲是英國國寶級的思想家和作家，人們對她有完美的憧憬，因而認為寫這樣的書實在太過殘忍，而且對艾瑞絲也太不公平。

艾瑞絲是英國國寶級的思想家和作家，
人們對她有完美的憧憬。

可是，對於這對孤單的老夫婦，這些指責又何嘗公平？他們當初結婚，就相約不要小孩，俾專心於古典的學術研究。兩人在自己的學術領域都卓然有成。而今，他們已成了相互廝守的老人，靜靜唱著生命最後的哀歌。儘管有些慘惻，不忍卒聽，但他們仍有哀歌的權利。只是想著過去那顆黃金般的頭腦，讓人心情起伏，難以平靜。

米達斯的太太

米達斯國王（Midas）愛金成癡，最後如願以償，凡他碰觸過的東西，全都變成了黃金，甚至他可愛的女兒也不例外。但是，這則希臘神話只說了米達斯父女，卻沒有說到米達斯的妻子。

英國當代首席女詩人卡蘿・杜菲（Carol A. Duffy,1955-），最近就以〈米達斯太太〉爲名，寫了一首長達六十六行的敘事長詩。這首詩寫得極好，點石成金的雙手，從此即毀了他們的生活，再也沒有臨晚梨花樹下的守候，再也沒有溫情的相擁。最後，妻子夢到自己懷孕，更加焦憂。米達斯必須離他們而去，到他所有的一片林間空地。在那裡：

他的足跡
沿著河流閃閃生輝。他瘦削
狂譫；傾聽著，他說，牧神的樂曲

有了黃金，失去了一切：
只有剩下音樂是對他最後的折磨。

來自林間。傾聽，已成他最後的痛苦。

卡蘿‧杜菲的這首詩可以有多種不同的讀法。可以視爲富裕對情愛的傷害，也可以讀成是對金錢崇拜的反諷；有了黃金，失去了一切；只有剩下音樂是對他最後的折磨。

無論米達斯國王的神話故事，或這首重寫的〈米達斯太太〉，都是對金錢崇拜的反諷。在過去幾年裡，如果談這個話題，很容易被人評爲不識時務。可是在金錢泡沫已漸次迸裂的此刻，或許已到了我們可以談這個問題的時候。美國有首童歌〈吹泡泡〉，詞曰：

我永遠在吹泡泡

天空中美麗的泡泡

它飛得如此之高，接近天頂

而後像夢境般消逝無踪。

金錢當它膨風過度，就會變成浮起的泡沫，這也就是貨幣理論中所謂的「金錢的外在化」，它超過原本被創造時的意義，而變成一個新的君王，挑動著無饜足的慾望，也蛀壞著政治的權力。當泡沫未破前，一切都晶瑩漂亮，但「金錢的外在化」卻注定不可能長久，當它到達極限，一點震盪，就會使其迸裂，而後即一切跌落塵埃。而人們只有在金錢泡沫迸裂後，才可能重新回頭看被荒廢掉的生活。英國女詩人狄瑾蓀（Emily Dickinson, 1830-1886）寫過一首小詩〈小石子之樂〉。她希望人生能像路邊小石子一樣，穿著過往歲月給它的褐色衣裳，隨遇而安，追求自在而單純的快樂。詩的最後四句曰：

煢煢如孤日
或者齊輝，或者獨照
履行上天之意
在隨遇而安的單純中。

袁世凱的廢墟詩人後代

近年來，以英語寫作的華裔人士日益增加，小說方面的人才最爲鼎盛，而且已逐漸融入主流；不過，由於詩的難度較高，出道者因而極少。印象所及，似乎只有黎里洋（譯音），他是民初大總統黎元洪的後代，而外曾祖父則是袁世凱。

黎里洋的詩相當特殊，可以歸類爲典型的「流離書寫」之列。他自己說：「由於我的母親出自袁世凱家族，而祖父則是幫會分子企業家，因而父母當年的結婚很讓人談論，因此，他們婚後即開始出外流浪旅行，最後抵達印尼。父親在雅加達的大學教醫學和哲學，但因他的西方傾向，稍後被蘇卡諾逮捕。……我在一九五七年誕生，父親則自一九五八年起被囚十九個月。而後他逃了出來，我們又到印支半島各國及東南亞，繼後抵達香港，他擔任牧師和一家大公司的負責人。但因情緒易衝動而失去人和，最後又遷至美國，……在美國修得神學學位，到賓州一個小城當長老教會牧師。」

由於長期流離，他的心情當然變得很奇特。他說：「我極端悲觀，覺得和一切都失去聯繫，並將永遠如此下去。我永遠沒有能夠稱爲家的地方。我去探望逝後父親的墳墓，墓上刻著中文，但一抬頭，看到的卻是墓地所掛的美國旗，這眞是詭異的感受。我沒有鄉愁，也不知何謂鄉愁，而只是單純的失落與失聯的感覺。」

黎里洋的詩受到另一個美國流離詩人史頓（Gerald Stem）的影響。史頓是他在匹兹堡大學的老師，是個流離的猶太詩人，以描寫記憶的荒涼聞名。黎里洋有一首代表作〈我要母親唱歌〉，譯之如下：

她開始，祖母也加入
一對母女歌唱如少女
如果父親健在，他一定
會拉他的手風琴並搖擺如舟

我從未到過北京，或夏宮
亦未曾站在石船上張望
湮雨起自昆明湖，野餐人

我沒有鄉愁，也不知何謂鄉愁，
而只是單純的失落與失聯的感覺。

倉皇奔離青草地

但我愛聽這些歌聲；
水仙花房如何盛滿雨珠
而後翻倒，雨水流出
花枝又再站直，雨又傾瀉而入

但兩個婦人卻開始哭泣
並未停止她們的歌聲。

落拓王孫，流離天涯，過去不可追，只是殘存在記憶裡的廢墟。黎里洋和他的老師史頓都因而被稱爲「放逐及廢墟詩人」！

黑旗軍殺掉的探險家

最近這幾年，東南亞國家急著整理自己的歷史，於是，泰國出現了一家「白蓮書社」，有系統的將上個世紀西方人的探險考察報告整理重印。這些殖民探險家的著作，除了讓人清楚知道昔日東南亞的社會風貌外，也使人對殖民主義者內在的冒險與征服精神有了更多體會。

在上個世紀的殖民探險家裡，法國的加里爾（Francis Ganier, 1839-1873）是個非常值得重視的人物。他雖然只活了三十四歲，但在他活著的時候，就已和英國享譽全球的非洲傳教探險家李文斯敦（David Livingstone, 1813-1873）齊名，並同獲「英國皇家地理學會」金帶獎。加里爾是第一個由越南溯湄公河而上，攀山越嶺，最後一直走到中國雲南的探險家。他把自己的探險之旅寫成兩大冊，至今讀了都不得不讓人動容。

而更讓人感到興趣的，乃是他的死亡。我最近花了很多精神找到了牛津大學所出的《東南亞探險家列傳》，加里爾被列爲一章，由該書證明了他是死於劉永福的「黑旗軍」之手。這一段倒是很少見諸記載，中文的有限記載也多不詳。

《東南亞探險家列傳》裡說道，一八七三年法國殖民政府早已占領了南越，並決定兼併北越，而後由越北溯紅河（即富良江）而直達雲南。當時，加里爾即肩負這個任務而率軍到了越北首府河內，並與「黑旗軍」相逢。書裡對他的死亡如此記載：

「當年十二月二十一日，……他向部屬表示，黑旗軍乃是我最怕的敵人。……他自己指揮一小隊士兵，與黑旗軍陣線相對，只有一打人在他身旁，他擁有野砲，相信足以制敵。……而後他將小隊一分爲二，野砲在後，沿著稻田前進。最後當快接近敵人時，他又將人馬一分爲三，俾和躲藏在竹叢裡的敵人作戰。或許，由於他是海軍軍官，才會不知道這種戰術的危險。或許，這只能以他一貫有勇無謀的個性始能解釋。……最後，他的身邊只剩三個士兵，當到達黑旗軍隱藏的灌木叢，……他踩到一個窪洞而摔倒，手持的左輪手槍走火，射死身旁士兵；另外兩名士兵急忙後撤，他則無助地躺在地上，黑旗軍朝他擁上，以槍矛砍刺，一下子他就死了，黑旗軍砍他的頭之後離去。」

這就是加里爾之死，實在有點離奇兼荒誕。他可能是個最好的殖民探險家，但卻無疑的是個離譜的帶兵官。劉永福大概也沒想到，他的「黑旗軍」部下就這麼輕輕鬆鬆地將當時在歐洲頗享大名的人物結束掉了性命。他死後多年，法國海軍爲了推崇他的探險，立了一座銅像，今天仍然存在。它就在巴黎靠近盧森堡花園的觀測站街上，只是包括當地人在內，都已不知道這個銅像所紀念的是誰了。

加里爾已死，由他留存至今的探險專著所走過的路徑，讓人不得不承認他的確是個傑出的殖民探險家。

卷

3 歌頌瑣碎

當生命似乎不值得活下去，
而你對自己也一點都不在乎，
當你覺得身邊連一個人都沒有，
就去尋找星星吧！

——電影《馬戲春秋》的主題曲：尋找星星

歌頌瑣碎

最近因爲研究上的必要，重讀了一次林語堂全集。讀著讀著，忽然想到「有格調的瑣碎」這句話，這是對他最誠懇的讚美。

林語堂（一八九五－一九七六）可眞是瑣碎啊！他出身哈佛及德國萊比錫大學，獲語言學博士學位，但是除了教書以及最後出任南洋大學校長外，他眞正的興趣多半都是一些瑣碎的事務。他活在北洋軍閥、抗日、反共的時代，其他讀書人一個個把愛國愛民這一套喊得昏天黑地，許多人甚至拋頭顱、灑熱血，但他的幾十本中英文著作，卻大半都和這些無關。他在民國二十五、六年這種時代，用英文寫《吾土吾民》、《生活的藝術》；在反共得最厲害的時代，則寫《蘇東坡傳》、《唐人街》，民國五十年寫的《紅牡丹》，可以說是高尚情色小說的典範，直追Ｄ・Ｈ・勞倫斯的境界。他所處的時代，太多人不是趕搭這個政治巴士，就是搶上那個權力渡輪，只有他自動靠邊站，寧願當個「熱心人冷眼看人生」的哲學家。就是這份耐得住寂寞的膽識，不想在浪頭上逐高低的本色，就已極爲稀罕。

林語堂是那種會在生活的瑣碎中尋找意義的人，不願讓政治取代生活。他當過幾個月的官，自認「不是肉食動物」，立即掛冠而去。有段話最有趣味，他說自己：

「他感到興趣的是文學、漂亮的鄉下姑娘、地質學、原子、音樂、電子、電動刮鬍刀，以及各種科學新發明的小物品。他用膠泥和滴流的洋蠟做成有顏色的景物和人像，擺在玻璃上，藉以消遣自娛。喜愛在雨中散步，……喜愛和孩子們吹肥皂泡兒。見湖邊垂柳濃蔭幽僻之處，則興感傷懷，對於海洋之美卻茫無所感。一切山巒，皆所喜愛。與男友榻處，愛說髒話，對女人則極其正派。」

我最喜歡的還是他的《生活的藝術》，全部在說食衣住行等瑣事，最後則將人的有品無品歸結在生活中。人必須懂得在生活的瑣碎中治理自己，而品格的高下也就隱藏其中。這就是有格調的瑣碎。

而能以格調自期的人，當然不喜歡和別人講一樣的話，也不會去附和那些每個時代的八股。他喜歡和普通人廝混，寧願逛街，在人與人之間尋找趣味，做眞正的自

人必須懂得在生活的瑣碎中治理自己，
而品格的高下也就隱藏其中。

己。他也評論時事，但不是用自己代表了眞理的那種態度。一大群以天下爲己任的人，最後一定弄壞了天下，他可沒想加入那樣的行列。他只想做個眞正的自由人。

當世界太激情，就需要冷靜；當大道理太多，就需要瑣碎。大道理多大麻煩，小瑣碎裡見人品。這就是林語堂的不同境界。

德布西的奧祕

許多人都喜歡德布西的音樂，傅聰的音樂演奏也只彈德布西和蕭邦。德布西的音樂是一種感覺，一種印象，甚至還是一種慾情，一種耽溺。他的音樂不會使人亢奮，但卻彷彿內心被輕輕地撥弄搔癢。

聽音樂，就會想像到人。他是天才，有對能銳敏辨音的耳朵。他長得不像他的音樂那樣玉樹臨風，和小個子的史特拉文斯基倒在伯仲之間，但卻壯碩了許多。他性格有點孤僻，說話喜歡帶刺，不太能和陌生人交往。這是天才的孤冷與傲慢，也是一種自我保護，免得時間全都浪費在冗贅而虛假的人際關係中。

然而，這些都非關音樂，眞正和德布西音樂有關的，是他的生活及品味、他的飲食、室內擺設，以及他的園藝。我最近讀尼可爾斯（Roger Nichols）所輯的《重新想起德布西》（Debussy Remembered），忽然察覺到對他已更懂了一些，音符劃過耳朵，彷佛也不再是以前的音符。

這是天才的孤冷與傲慢，
也是一種自我保護，
免得時間全都浪費在冗贅而虛假的人際關係中。

德布西喜歡精緻的瓷器，園子裡的花草都要親自選擇。他喜歡藍色的裝束，晚年養兩隻貓咪，寵愛得不得了，他對一切精細雅秀的事物都喜歡，常在精品店一耗半天。他把對精美事物的感覺能力，都發揮到了音樂上。他是音樂上的精神貴族，在耽美裡讓自己敏銳。

而眞正最讓人覺得有趣的，是德布西的美食。他是個「精細的美食家」（Gourmet），而非「饕餮的美食家」（Gourmand）。他從小就不來「便宜又大碗」那一套，寧願少而美。後來好多位著名的音樂家都說到德布西的美食，說他對乳酪極有鑑賞力，說他的飲食軼事。這幾段堪稱代表：

「在德布西的家裡，縱使簡單的午茶，都是一種華麗。至於他家的晚宴，更無一不是精萃畢現。我記得一次晚餐，每樣東西全都是紅色，紅色檯布、紅色餐巾，一直到紅色香檳。道地的紅香檳，可非紅色的伯根第氣泡酒。」

「當他住在卡丁尼街的那幾年，我總是到德布西家做客，最難忘的是這段友誼的午餐，蛋和香煎薄羊肉片。那是多麼奇妙的飲食！如同你們可以想像到的，我現在就舔著齒頰而回味無窮。德布西自己下廚料理，有他的祕密配方。而後配著高級的波爾多白酒，讓人動容。對當時仍然貧窮未發的朋友，這是何等溫暖。」

「數日之後，我再往訪，交情更增，我被留下午餐，是唯一的客人。我非常崇拜他自己燒出來的餐盤，他故意在窯燒過程中使它出現裂痕，非常有藝術性。」

由美食及美食餐具，而到音樂的耽美，或許這就是德布西音樂的奧祕！

「水月居」小酒館

寫作《一九八四》成名的喬治・歐威爾，曾經品評過倫敦的小酒館，他特別提到其中的一家，店名「水月居」（Moon Under Water），並推爲首選。

「水月居」，命名的原因不詳。它既無水，又無月，但卻像水中之月般地藏匿在倫敦這個大城市裡。它離公車站不遠的小巷裡，鬧中取靜，是典型十九世紀維多利亞酒館的風格，素樸無華。它沒有什麼生客，來往者多屬熟人。大家都似乎有默契地坐固定的位置。這裡沒有音響，亦無鋼琴，靜得適合小聲談話聊天或玩牌。服務生多半是中年女士，將客人視爲家庭成員，稱每個人爲「甜心」，而非「客倌」。它每週定時供應價廉而美味之晚餐，但它並非餐廳。除了酒館的人好、氣氛好、餐好之外，它的酒杯用草莓色瓷杯，更見雅致。而走過窄窄的後廊，有個私家小庭院，樹下有桌，可帶小孩來此。歐威爾說，如果將「水月居」評爲十分，倫敦其他酒館裡最好的只不過八分，足見他對「水月居」評價之高。

「水月居」是本世紀四〇年代的倫敦酒館，這種有家庭風格、親切、典雅、適合獨酌，但亦不妨群飲的酒館，早已不再聽人提及。酒館的型態取決於飲酒文化。當孕育「水月居」這種酒館的文化早已消逝，它這種類型的酒館當然也就無法獨存。

早幾年，我一度注意並研究過飲酒文化的變遷，也經過許多型態的酒館，例如愛爾蘭式的社區喧囂酒館，美式雅痞階級的社交式酒館，美國鄉村又吵又鬧的酒吧，破爛而帥酷的大學生酒吧，還有東南亞半色情的酒吧。另外，我也涉獵過台灣的酒吧、酒廊、鋼琴酒店，以及新崛起未久的小酒館。看過得多，也經歷得多，也就愈感覺到「水月居」這種酒館已不再可能。這是飲酒美學的沈淪，它的沈淪從紳士型靜謐小酒館的消失開始。

飲酒是一種生活美學，酒不能俗，人不能俗，酒杯不能俗，酒館更不能俗。由於不俗難找，因而留名的飲者每多喜獨酌；或一、二好友，以酒相親。這是歐式紳士型小酒館的起源，它有一點偏執與耽溺的孤芳自賞。歐威爾筆下的「水月居」，從它的名字和風格，不都透露著這種況味。只是到了今日，或者藉酒社交，或者以酒為色媒，當酒不再只是酒，難怪再也難覓「水月居」的踪影了。

幾天前，一個外國記者來台，相約晤談，我們到了一間小酒館。喧鬧、氣濁，並有異味，兩個人草草講完話，奪門就走，而後相視苦笑。這時候，遂格外想念起那未曾到過的「水月居」了！

飲酒是一種生活美學，
酒不能俗，人不能俗，
酒杯不能俗，酒館更不能俗。

聞香雜錄

一個敬愛的朋友送了一袋薰衣草香。那是一種乾爽、不沾手的香氣。淡淡的，卻留存很久。我沒問，她也沒說，薰衣草香註解著淡淡卻悠長的友情。

我總是喜歡聞香，念書的時候，常喜歡到處去採擷可食的花朵。長年累積的經驗，發現還是金銀花和山素英的甜淡香氣最是宜人。我始終懷念那段有點軟性頹廢的歲月，自製的香花茶喝多了，彷彿人也爽靜了許多，甚至毛孔的張合也都發散著種種自己覺得愉快的氣味。

由於聞香和吃香，後來和三兩特別親密的朋友，總是相互間用乾香花和香油彼此餽贈。我特別珍惜這些因香結緣的友情。她們一個個都有著脫塵的氣息。有一個朋友長得白淨秀氣，一雙手玉蔥似的晶瑩剔透，還在外國當過手模特兒，一年四季整個身體都散發著自然的花草香。她自稱「稀有的瀕臨絕種動物」，後來不能忍受台北的氣味，又到有花有水的異國去流浪，偶爾還會寄一些精裝本的草花繪本回來。

我總相信聞香的孩子不會變壞。自然界的香花普遍都讓人覺得有一點高敻或幽遠的況味。古羅馬自然史家普藍尼遂說道：「香水的快樂，是生之愉悅裡最優雅和尊貴的之一。」那個時代，用香花薰衣和聞香是一種高貴的美德。如果衣香裡含著：

番紅花、風信子、盛開的紫羅蘭香

以及無萼玫瑰的香甜花瓣

何等芬芳，多麼美妙。

以前的人愛花喜香，調配香氣是一門重要的生活美學，許多著名的配方，其材料甚至多達二十餘種。香氣甚至還成爲註解家庭氣息的重要成分。我曾經讀過宋代的《武林舊事》，印象最深刻的，乃是國家大典，上自皇帝，下至庶民，人人皆簪花爲飾，偌大的京城一片花海，白髮紅花，香聞十里。想著那樣的畫面，各種花香似乎也都隔著時空隧道，撲面而來。

有一年春天，到芝加哥植物園遛逛，繁花似錦，所有的花草香全都湧上鼻間心頭，嗅覺細胞忙碌得無法辨識，興奮得近乎暈厥。這是香氣的繁華。

又有一年，隆冬到北京的圓明園。那是個黃昏，斷垣殘壁，荒煙蔓草，孤冷的月色裡，只聞到臘梅的香氣，淡淡裡有些哀傷和孤絕的況味，一路踩著碎雪，心裡很是悽涼。

香氣裡有繁華和滄桑，前兩天的夜晚，走過台北舟山路的台大農場，剛除過草，經過雨淋日曬，有點腐熟的草香，而縫隙裡夾雜著十里香。香氣說，夏天到了。

無邊的星語

從前的城市燈火沒有現在這麼亮麗。夜晚時分，仍可以看到滿天的星光燦然。那時候喜歡看星。大學一年級讀了希羅神話後，更對星星多了一層朦朧的幻想，經常夜晚到曠野對著星圖觀星，看著北斗的杓柄在天空迴轉易位；看著秋天的銀河水滿，彷彿要溢出河岸。夜晚的天空因爲星星而多了一番聒噪，而間或閃過的流星，則多少予人無常的感受。

夜空荒荒，星海渺渺，滿天的星星究竟在說些什麼，實在讓人抓不著。以前隋煬帝月夜觀星，他問自己到底有何感覺，因爲沒有答案，他遂留下如此曖昧無奈的句子：

更移斗柄轉，夜久天河橫；
徘徊不能寐，參差幾種情。

他的「參差幾種情」實在用得好極。「參差」是說不出的模糊，是高高低低但卻

看著秋天的銀河水滿，
彷彿要溢出河岸。

難以言明的心緒起伏，他一語道盡人們對星星的複雜情愫。而我少年觀星，並沒有這樣的境界，那時少小離家，苦澀難捱，每次觀星，總會習慣地想起當時頗紅的電影《馬戲春秋》的主題曲〈尋找星星〉。那是一首勵志歌，先說人生的悲傷，而後則要人們在群星裡去許下願景，尋找希望。歌詞開頭有四句頗為低沈，反而讓人更加感傷：

當生命似乎不值得活下去
而你對自己也一點都不在乎
當你覺得身邊連一個人也沒有
就去尋找星星吧！

但不管好好壞壞，參參差差的人生終究還是這麼懵懂地走了過來。因此，遂格外羨慕起現在那些不再苦澀地尋找星星，而能坐下來欣賞星海華麗婆娑的人們了。天空是一場壯闊的饗宴，自在而任人掬取。它可以讓人多一點浪漫狂想，也可以多一些綺麗的情懷。獅子座的流星瀑縱使未曾出現，但一陣小小的流星毛毛雨，不也夠了？

人們為流星趕集，最浪漫的唯屬東京。幾年前有部青少年溫馨的愛情電影《七月七日情》，最後一幕是整個東京都爲了情侶看星而熄滅了燈火。今年的東京爲了讓人看星，早早就一直呼籲所有的人在這一天盡量把燈熄了，用無光的東京來迎接星空的燦爛。如此的細膩體貼，這個小小的浪漫裡，等於已替流星寫了一首最好的詩篇。

星夜看螢去！

很久沒有看到螢火蟲了。

那天深夜，專程到台北一處荒郊看螢。時間已過子夜，沿著中央印製廠邊的小路，直入山徑。路窮之處，星月無輝，而水聲潺潺；忽然間，一隻螢火蟲從樹草叢裡飛了出來，接著兩隻、三隻……，儘管沒有群螢亂飛的盛況，但看著那翩翩舞姿，就足以動人風懷。

小時候住在台中近郊，有一條羊腸小徑，兩側高高低低叢生著含羞草，再遠處則是田疇和雜林，每當夏夜，總是螢火紛飛，有時候甚至還熱鬧成一片。它會停在衣服上、頭髮間，雖然只是那一小點光亮，卻讓人彷彿有了一燈相照的感覺。杜甫寫螢，總喜歡強調流螢沾衣，因而有「簾疏巧入坐人衣」，「未足臨書卷，時能點客衣」之句，他所珍惜的，大概就是流螢沾衣、慰我寂寥的會心之感。

因此，看螢讓人覺得溫暖。它彷彿暗夜的漆黑裡，小小的山精水靈打著一盞迎迓的風燈，不管路是多麼的黑，也能讓人寬慰。而除了這種喜悅溫暖外，螢的舞姿也最讓人流連。它隨著氣流舞動，時而紓緩如一個定點，時而急高急低的起伏，梁簡文帝的詩句：「騰空類星隕，拂木若花生。」前句說螢光的急舞，後句說螢火的繁華，只是現在的流螢已稀，再難有如此盛況了。

看螢還可以與它一同玩耍，可以慢慢的向它靠近，伸出手掌，讓它停在掌心，珍惜剎那的邂逅；或者像古代書本上所說的，閨秀人家用紈扇和螢共玩。紈扇戲螢，如同人螢共舞，那是古典的另一種曼妙。唐朝詩人劉禹錫寫螢與人的共舞曰：「科歷璇題舞羅幌，曝衣樓上拂香裙。」流螢在香裙之間穿梭，人也風流，螢也風流。

每個人都喜歡螢火蟲，它嫻靜、紓緩，點綴著夏夜的童心與浪漫。以前螢多，入夜輒見此起彼落，與螢共玩，曾是美好回憶的一部分。老人們都說螢是腐草所化，以露水爲食，因而它弱質蕙心，想著這些說法，都覺得對螢應該格外的體貼善待。只是現今流螢日稀，都市的小孩少了螢火蟲的童年，那會是多麼大的一場遺憾。

於是，我遂看螢去。走過沒有路燈的小山徑，它打著小燈將我迎接，而我會晤到的，不僅是那閃爍著的點點星星，而是一大片重新再來的童年！

不僅是那閃爍著的點點星星，
而是一大片重新再來的童年！

熱夏

前代美國作家史坦貝克擅寫美國南方的酷熱與凋敝。他寫道：「太陽用熱鞭笞著大地。」

而波蘭裔的英國作家康拉德，則到悶熱的剛果跑船，他後來這樣寫熱：「石頭閃著亮光，似乎成了灰燼，兀自在那裡冒著煙。」

酷熱難耐，當年的杜甫大概最懂其中況味，因而遂曰：「炎赫洗流汗，低垂氣不蘇。」真正的酷熱，不只汗出如雨而已，它讓人熱得坐立不安，讓人疲憊不堪。熱到極點，眞讓人想化成水族，到清水綠波裡去逍遙避暑。

而說到熱，就想到我們愈來愈衰退的抗熱和避熱能力，以前的人，生理隨著自然界的變化而運轉，儘管溽暑難耐，但生理卻可自我調整而應付。小時候在南部半城半郊中長大，每逢盛夏，一堆孩子卻活得生龍活虎，可以頂著大太陽赤膊打一天球，人曬成紅人，幾天後，背部刺痛無比，再過一個多星期，脫掉一層皮，一切又回復原樣。脫皮的時候，你幫我撕皮，我幫你撕皮，居然也會成爲一種難忘的樂趣。

盛暑是兒童的最愛。可以爬苦楝樹抓漂亮的七星天牛，可以到鳳凰樹下的漏斗形小洞裡去抓蟻獅；而相思樹及鐵刀木則是小黃蝶毛毛蟲的溫床，也沒有誰碰了毛毛蟲之後皮膚敏感的。以前，盛暑的酷熱是生命最活躍的季節。

然而，文明正在改變著人種和人的生理，因而酷熱遂變得愈來愈難以忍受。以前的每個身體都有較大的彈性調節空間，而今天的身體靠著外在的冷暖氣的人工調節，它的自主調節能力遂愈來愈用進廢退，近代哲學家總喜歡說人的主體和身體，但一講到冷熱與身體，這個身體究竟是什麼，其實也不那麼確定了。我們的身體在文明中被不斷改變。

而這時就想到酷暑中的那些植物。酷暑裡，活得最喧譁的，乃是戶外及山丘上的那些野草和野樹。山丘上，成簇的台灣油桐長得最猖獗，銀灰色的心形大葉在風中翻飛，遠看倒像是成片的花絮。而除了油桐外，幾乎所有的植物莫不在酷暑中開始成蔭。那天走過台北街道，不經意地抬頭，沒有多久前還是光禿禿的木棉怎麼都已成蔭了！有個朋友說，春夏之交，如果有點耐性去守候抽芽的木棉，可以聽到樹葉成長的聲音，也可以看到它一寸寸長大的樣子。我聽從他的勸告，決定找個時候去守候木

溽暑難耐，有天深夜走出屋外，
看著濛濛雜樹，聽著比以前大聲的蛙叫蟲鳴，
熱似乎也變得不那麼嚴重了！

棉，但今年我畢竟仍錯過了機會。

溽暑難耐，有天深夜走出屋外，看著濛濛雜樹，聽著比以前大聲的蛙叫蟲鳴，熱似乎也變得不那麼嚴重了！

雪蘭峨河口螢火如燈

最近，應邀到馬來西亞九天。除了公事外，其餘的時間都用來看山看水以及看古建築；而最快樂的，則是看螢火蟲。

那天是中秋夜，吉隆坡在傍晚下了一場急雨。雨霽之後，仍然天抹微雲，圓月無輝。朋友開了兩個小時的車，到了距雪蘭峨河口不遠的沼澤地，那裡早已是名聞遐邇的賞螢勝地。河道兩側的澤地裡雜錯地長著棕櫚及紅樹，螢火蟲在紅樹叢裡棲息和求偶，凡有紅樹之處，就螢火點點，恍若繁星。

乘坐電動小舢板，沿著河道一路上行，兩側樹叢迤邐，棕櫚樹不為螢火蟲喜愛，在夜色裡一片幽黑。但紅樹則否，它們被閃爍的螢光妝點得一片燦然，有些甚至有如耶誕樹那樣的火樹銀花。幾百萬或幾千萬隻螢火蟲，一路明滅起浮，眞是自然奇觀。舢板碼頭的小房間有本留言簿，有個遊客這樣寫道：「看到這麼多螢光蟲，想哭！」

雪蘭峨河口的螢火蟲是少有的自然奇觀，類似的華麗壯觀在紐西蘭也有一處。這

那晚的賞螢是一次奇特的經驗，
彷彿穿過幽暗的河道，闖入一個充滿神祕的光之國度，
它訴說著業已消失掉的繁華。

裡的螢火蟲體型比台灣通常所見到的為小，螢火白裡帶黃，當成群聚集，隱約就透露出一種華麗的況味。有時微風吹過，螢花飛舞，會落在薄衣上，彷佛一種私密的迎迓和邂逅。駕駛舢板的船工說，近年來那裡的螢火蟲已比以前少了，由此可以想像它在以前是何等盛況。

那晚的賞螢是次奇特的經驗，彷佛穿過幽暗的河道，闖入一個充滿神祕的光之國度，它訴說著業已消失掉的繁華。坐在舢板上，水面無波，四周靜謐，只有閃亮的螢光是唯一的聒噪，看著看著，人都彷佛在光裡醉了。

雪蘭峨河口沼澤叢裡的螢火如海，讓我想到台灣以前也曾有過的類似盛況。清光緒年間，曾至宜蘭為官的黃逢昶著有《台灣生熟番記事》一書，內收諸多題詠民情風俗的〈竹枝詞〉，其中有詩一首曰：

夜半流螢數點星，
岩為牖户穴為庭，
柳條春色濃如許，
不及生番兩眼青。

對於這首詩，題記如下：

後山有青眼番，居岩穴，種柳栽榆，滋蘭樹蕙，四時暢茂，滿目皆青，終歲螢火飛騰，不滅燈燭。

由「終歲螢火飛騰，不滅燈燭」的記載，可知當年宜蘭的螢火是如何的繁茂。只是那樣的自然繁華，已離我們愈來愈遠了。

流浪的牽牛花藤

每逢暑假就會想到牽牛花。念書的時候，有個暑假到圓山動物園及兒童樂園清山。那眞是一樁勞累兼可怕的工作，滿山都被牽牛花藤爬滿，好看的樹與蕨類被遮蔽得奄奄一息，要將它清理乾淨，不但爬樹，甚至還要攀岩，將近一個月才大功告竣。

台灣的牽牛花氾濫，老師說起源於日本大正時代的「朝顏熱」。那時日本已漸富裕，閒錢無處可去，就炒作朝顏花，許多育種師傅還眞的有本領變出各式各樣的花色，而花瓣也從單瓣變成繁複的重瓣。當時爲了爭奪稀有種，甚至還鬧出命案。但一陣炒作，朝顏變冷，遂隨意棄置，弄得滿山遍野的花藤。就像今天台北的被棄流浪狗，都到了陽明山國家公園。

由「朝顏熱」就想到十七世紀阿姆斯特丹的「鬱金香熱」。那時的荷蘭東印度公司在海外擴張，國強民富，錢也多到不知道怎麼辦，於是就開始炒作鬱金香這種剛被引進的花朵，一丸鱗芽最高時可以炒到一棟別墅的價位，並炒出了諸如黑色鬱金香的傳奇。書上說，那時的荷蘭人好賭成性，有用的實物和無用的實物、期貨，以及各種數字，都可被用來當作賭博的道具。十七世紀也是歐洲金融騙徒的全盛時期。

對稀有動植物的投機，代代相傳。亞洲經濟黃金時代的八〇年代末到九〇年代中，台灣人酷愛紅龍，泰國人迷戀食人魚，印尼人則拚命豢養拉丁美洲的大河鼠。台灣的「紅龍熱」早已退燒，印尼的河鼠及泰國的食人魚則全都被棄入河流，成了流浪鼠和流浪魚。

這眞是可怕的流浪。河鼠大若貓狗，食量及繁殖速度驚人，許多河流都被吃得生物絕跡；而湄公河的食人魚氾濫，已變成新的公共危害。泰國人說，食人魚已在亞洲發現了新的生存天堂。

富裕之後，必須用獨特的動植物來替金錢妝扮，這種奇技淫巧式的耽溺與占有，直到如今，人們都還找不出眞正的答案。它不是玩物喪志，也不算炫耀財富，甚至賭狗賭馬也都比這種炒作式的蒐集正常一點。那麼，這種奇特的耽溺究竟由何而來？它是不是賭博與占有的一種病變式分化，除了慨歎人性的不可思議外，我們已無話可說。

我痛恨蔓生的牽牛花，除了圓山的經驗外，念書時有一年到烏來山裡的那哮聚落打工，任務也是清除杉木林裡的蔓藤，除了四季果的野藤外，牽牛花也在其中。整整兩個月，彷彿永遠除之不盡的那麼多。流浪的牽牛花所流浪出來的，其實是一場不怎麼小的災難。

普魯斯特和阿一鮑魚

法國的大作家普魯斯特（Marcel Proust, 1871-1922）。他短暫的一生，目的似乎就是花盡萬貫家財，以換得文學上的永久聲名。他寫細膩的感覺，寫上個世紀末巴黎的名紳淑女，以及紅塵間種種風物情事。當然，他也寫那個時候的巴黎「高檔飲食」（Haute Cuisine）。

在普魯斯特的筆下，飲食早已不再是飲食，而成了祭典儀式和美感經驗。他寫一綑三百法郎的綠蘆筍，捲上軟煎蛋、紫芽綠衣、黃裳白裙，光是想著就已讓人神往。他寫有次和友人去海邊進食。酒杯凝聚著天光，李子在果盤裡耀眼生色，生蠔殼彷彿變成了裝聖水的石斛，讓他頓悟到：「就在這最平常的瑣事裡，在可以感受到的生命深邃裡，也有著我以前未曾想像到的美。」

普魯斯特寫吃龍蝦的經驗，似乎最掌握了詩意的美感。他有次應蕾葳儂夫人的邀宴，菜色有培根蛋捲、半濃稠的美式龍蝦、德國兔肉、玫瑰及蛋白杏仁糕等。偌大的銀盤盛著全龍蝦，茶褐色的漿汁「洋溢著悅人的百日草及金魚藻香，香氣並非它本身之目的，而是一種對預期的，更物質性的擁有所作的宣告」。

普魯斯特的飲食，是一種回憶、一種聯想、一種執著的品味鍛鍊。讀他所寫的飲食，就彷彿看《芭比的盛宴》，每種菜香都撲鼻而來。而他寫吃龍蝦，以及巴黎那幾個一流女主人的場面，就讓人不由得想起香港楊貫一的鮑魚，以及楊貫一背後的王亭之。

多年前，我在香港結識了著名的美食家王亭之。他是舊式的世家公子型人物，琴棋書畫和星相命卜之類的雜學無一不通，更精於美食。由於性格隨和，而且學識博雅，他在香港中上層社會是個公認的受歡迎人物。

十年多以前吧，有次赴港。那時的「阿一鮑魚」還不像今天這樣盛名。幾個友好被王亭之帶著到銅鑼灣的「富臨」去品嘗鮑魚。許多傳聞都說楊貫一開發鮑魚成功，得到王亭之的協助很多。席間那個非常熱絡的楊貫一出來見客，對王亭之執禮甚恭，似乎印證著傳說。中國人以前喜歡用「穠粹」這兩個字來形容一種惹人流連的芳香和慾望，「阿一鮑魚」似乎就很可以用這兩個字來形容。在印象裡，那頓飯後，王亭之說單單鮑魚，一客即近八百港幣，對「王師父」打個折扣，也還要六百元，再加上其他菜式，平均每個人吃掉近一千元，而那是一元港幣對四元多台幣的時候。

美食勾動著慾望，它是一種獨特的，具有儀典性質的生活美學。當我每次品嘗到美食時，就會想到普魯斯特，以及給我飲食啓蒙的美食家朋友！

美食勾動著慾望，
它是一種獨特的，具有儀典性質的生活美學。

蛋塔共和國？

好幾個月之前，經過台北的書店街，在一個街角看到一長串的人在那裡排隊，原來是在等著買出爐的蛋塔。沒想到，就這麼幾個月，台灣竟然吹起了一陣「蛋塔瘋」。

這眞是另類傳奇。在台灣若想叫人排隊，可眞是千難萬難，但卻有兩種例外，一是限量發售的紀念金幣會讓人徹夜排隊鵠候，另一則是爲了吃而排隊。某個地方的胡椒餅、某個地方的紅豆餅、某家新開的咖啡廳，每次經過總是看到好長的隊伍，爲吃而排隊已成了一種小中產階級的次文化。不多的金錢、太多的時間、對飲食的莫名耽溺，合奏出了一幕幕爲各種吃而大排長龍的瘋狂景象。而在排隊所耗費的時間裡，若是自己動手做，怕不都已做了出來。

排隊買蛋塔，而後趁熱大啖，甚至走在路上就這麼吃了起來。不僅讓人莞爾，也覺得有些黯然。在西方，諸如蛋塔（tart, tartlet）、鬆餅（muffins）、奶酥（soufflés）、慕斯（mousse）、冰凍糖煮水果（compote）、瑪德琳點心（madeleines）、兩個半圓形的海綿蛋糕（sponge cake）……等，其實都和我們做的包子、餃子或春捲一樣，屬於家常糕點，它是家人假日聚餐或宴請三、五好友時的必備。它有點難做，但也不那麼難。它的食用也有其規矩套數。例如，瑪德琳點心若配上香草冰淇淋，那將會是一種不可思議的甜膩；布丁上面最好淋幾滴蘭姆酒或白蘭地以增香氣；有些甜點要合著品嘗，例如杏仁餅配巧克力慕斯或奶蛋糊（custard），讓人甜成一團。而另外有些則要甜淡參差，例如蛋塔、各類酥或炸的點心如果配上金紅色的大吉嶺紅茶，那簡直是色香俱全。糕點是餐後的另一部百科全書，也是飲食美學的另一個有趣章節。

我印象最深刻的，是有次去舊金山，朋友帶著去他家吃飯，飯後來了一組甜點：一片水果蛋塔，淋著少許紅莓醬當醬衣（pur'ee）、配著一盅冰凍果露（sherbet），溫潤與清涼交錯，讓人膩到了心底，尤其是那美麗的色系更難忘記。

包括蛋塔在內的許多糕點都很家常，排隊的幾個小時裡自己都可以做了出來。手藝再差的人，做的熱蛋塔也一定芬芳美味，配著「維姬吾」（Wedgewood）以色取勝的大吉嶺茶，或以香取勝的UVA紅茶，家人或朋友在這樣的氣氛下，都會快樂且多話成一團。總勝過排幾小時隊買蛋塔，而後急急忙忙地大啖起來。人怎麼可以活得如此栖栖遑遑？

因此，買蛋塔，何不如做蛋塔？自己做的蛋塔裡會有眞正的情意和眞正的品味！

食之戒

快過年了。

聽說今年最飆的年節禮物是「幼齒鮑魚」。過去幾年裡，有錢人飆過鮑魚、官燕燕窩，以及大排翅。他們的鮑魚是大尾的，今年則輪到小民們吃幼齒的來過癮。

而說鮑魚（Abalone）就要提及澳大利亞的東南沿岸及礁島。那裡是全球最大的鮑魚產地，有一半以上的鮑魚都來自這裡。澳洲鮑魚每年限額捕採，但因華人吃得愈來愈兇，價格遂日益飆高，盜採之事也就出現了。澳洲最近即抓到一個龐大的黑幫盜採集團，他們的地下工廠發現三萬枚被盜採的鮑魚。盜採鮑魚在澳洲已成了比搞海洛因更有利潤的大生意，盜採的主要操控者多屬華人幫派集團和與其有關的商人冒險家。他們已讓盜採變成一個全球網路的大企業。

華人在澳洲盜採鮑魚，原因是華人世界對鮑魚的需求愈來愈大。以前華人社會比較貧窮，只有少數有錢人吃得起昂貴的鮑魚，大家視之爲一種奢侈的行爲。而今，華人逐漸富裕，於是昔日罵人奢侈的，也加入了這個奢侈的行列，甚至連中國大陸的新富階級也猛吃鮑魚起來。華人吃鮑魚，把幾個老產區如美國加州、墨西哥灣、加拿大西海岸，以及中東安曼灣的鮑魚吃成了少數物種，產量業已大減。現在則在澳洲合法與非法雙管齊下。目前澳洲每年合法出口的鮑魚達澳幣一億七千萬，折合港幣爲八億三千萬，而非法出口的也數量相當。這些飽魚絕大多數都進了華人的胃裡。這也就是說，全體華人每年差不多吃掉十七億港幣的鮑魚。而這只是產地價格，如果換成零售價，至少要乘上三倍。老天爺，全體華人，包括香港、台灣、東南亞、北美，還有大陸新富地區，一年就要吃掉五十億港幣的鮑魚！

鮑魚並非瀕臨絕種的保育生物，當然可以合法的去吃。但不管怎麼說，吃鮑魚終究是一種奢侈的行爲，香港一客要千元，台灣也要三千台幣，加上其他搭配菜肴和酒類，一頓鮑魚大餐吃下來，每個人大概要花費五千台幣。華人眞的有必要如此窮凶極惡的吃下去嗎？而今大尾吃不夠，還要吃幼齒，世界上有什麼自然生物禁得起如此的吃法？

由華人吃鮑魚，就想到歐洲文藝復興之後的吃。文藝復興那個時代起，歐洲已不再那麼貧窮，於是窮凶極惡的吃遂告開始。我找到過幾份當時大請客的菜單，那眞是唬人至極，一般的不必再說，稀罕的如羚羊、熊、駝峰、百靈鳥、天鵝等也無不送入肚內，既野蠻又奢侈。但就在那時，對食物的反省也告出現，食物不能殘酷，也不能奢侈。後來歐洲食物不以稀有物種取勝，而以烹調技巧和氣氛等品味為主的特色，即是透過這樣的反省而形成的。他們社會愈繁榮進步，奢侈的吃只會減少而不會增多，這是另一種吃的哲學，猛吃鮑魚的我們和他們眞的很不一樣！

巧克力的循環圖

到現在才知道，法國人原來那麼喜歡巧克力，平均每個人一年要吃掉將近七公斤。許多家庭甚至還有巧克力盒，放著包裝得五彩繽紛的巧克力糖，隨手就一塊塊的落肚。

巧克力不只是法國人的最愛，甚至還是西方零嘴消費文化裡的重要一環。只要看每個國際機場的免稅商店區，就會知道它的重要。一定有好幾攤巧克力專賣店在那裡發出誘人的召喚，而最正牌的，當然是瑞士的那幾家，論生產規模，則以美國的赫希家族爲最。

曾經和一位長期住在巴黎的朋友聊天，她說到每年一次的巧克力商展，不但人潮擁擠，而且銷售量驚人，一次商展下來，總可以賣掉二、三十噸。而商展的氣氛則混合著高雅和異國情調兩種特性。高雅指的是有各式各樣的巧克力糖雕，異國情調則指它總是會穿插一些巧克力色皮膚的表演。這是一種殖民美學。

波特萊爾看到餐館侍者托著精緻的巧克力淺盤，
就想到它是高貴的符號。

而的的確確，巧克力在西方，打從它一開始就很有這種殖民美學的況味。巧克力最早是南美原住民的發明。他們在大約三千年前馴化了野生的可可樹，將可可豆搥碎當飲料，發音為Kocoatyl。十六世紀西班牙殖民冒險家征服南美的阿茲提克王朝，將這種飲料帶回歐洲。過了大約一百年，才又傳到歐陸。當時歐洲的宗教革命已告落幕，動亂漸平，天主教安度考驗，在繁榮太平中進入了所謂的「巴洛克時期」。由巴洛克藝術，如音樂、繪畫和建築，可以知道那是個安逸、華麗，又有點高貴式耽溺的時代，它對異國情調充滿了好奇，於是，上流社會遂對這種有點苦味、卻具提神作用的飲料極為風靡。由當時的版畫可以看出它有點像喝咖啡一樣的被飲用，然後再用開水淨口。對於這種有點刺激作用的飲料，歐洲天主教還會還一本正經地討論過它是否違背了齋戒的戒律。

當代飲食學家柯依夫婦（Sophie D. Coe & Michael D. Coe）曾寫過一本《巧克力的真實歷史》。他們指出，大約十八世紀初，英國人發明將牛奶混入的方法，接著又設計出製造巧克力糖硬塊的程序，於是巧克力糖遂告大盛。而就在它流行的過程中，各種符號性的神話被加了進來，說它是愛情的象徵，具有黏合心靈傷痕的作用。波特萊爾看到餐館侍者托著精緻的巧克力淺盤，就想到它是高貴的符號。而對兒童來說，甜膩則是幸福的化身。在所有的這些象徵包裹下，它成了一種極爲重視包裝的甜食。

只是巧克力由苦而甜，兜了一大圈，現在又回到了苦巧克力的時代。當代中產階級最愛的即是少牛奶、不加糖的黑色巧克力薄片。發現這種吃法的是法國人林茲（Robert Linxe）。除了黑色巧克力片外，現在也還流行混合了紫蘇、茉莉、迷迭香的糖片。有道理嗎？好像不。但說沒道理嗎？卻也不然。現在不正流行什麼都不加的苦咖啡嗎？好像這是一個精緻自虐、苦中作樂的年代呢。

異國情調的性美學

上次說到巧克力的出現，以及它背後的異國情調。由於語猶未盡，再補充一個巧克力進入歐洲時的故事。

巧克力進入歐洲時，由於價格昂貴，只在上流貴族社會流行。當時法國有一著名才女塞維格尼侯爵夫人（Marquise de Sévigné, 1626-1696），她是法國早期的散文瑰寶，她流暢而細膩的書信，不但創造出一種獨特的風格，甚至還包含了當時上流社會各種食衣住行的訊息。她在一六七一年寫給女兒的書信裡多次提到巧克力。

二月十一日，她寫道：「如果妳覺得不舒服、失眠，巧克力可以讓妳有活力。可是妳沒有巧克力罐，我想之再三，不知妳將如何是好。」

四月十五日的信裡，她對巧克力的態度完全改觀，如此寫道：「我的愛女，我可以告訴妳，巧克力的好處不是以前我以爲的那樣。我跟錯了流行。以前在我面前說巧克力多麼多麼好的人，現在都開始詛咒它，認爲它造成了太陽底下所有的邪惡。」

五月十三日，她得知女兒已懷孕，並開始喝巧克力，驚嚇不已，寫信曰：「我至愛的美麗寶貝，我求妳別再喝巧克力了，以妳目前的狀況，它可能讓妳致命。」

十月二十三日，她對巧克力的恐懼達到頂點，信裡寫道：「哥洛根侯爵夫人喝了太多巧克力，去年生了一個其黑如惡魔的小男孩。她現在已經死了。」

塞維格尼侯爵夫人的這幾封信裡，認爲喝了黑褐色的巧克力，就會生出黑褐色皮膚的惡魔，這當然是那個時代的迷信。不過由那位哥洛根侯爵夫人喝巧克力及生下黑小孩之事，其答案卻顯然非常清楚。根據當時法國宮廷內的八卦傳言，那位侯爵夫人家裡養了非洲黑奴，她每天早晚必要一名黑色健僕送巧克力進臥房。因此，她生的並非黑色惡魔，而是那個黑人健僕的種。但當時的人對這一點卻拒絕承認，巧克力遂成了替罪羔羊。

其實，不同的文化相互接觸，而產生異國情調，這種異國情調裡通常均有著強烈的色情意涵，會對這種異國情調有所迷戀者，多半也都是私人行爲上敢於冒險、敢於離經叛道著。近代對異國情調裡的性意涵已有了很多研究，馬蒂斯的繪畫裡視阿拉伯社會裡的「女館」爲性幻想的對象，高更則把大溪地裸女世界當成他的性天堂。這些都已成了定論。

而不但繪畫如此，諸如香料、咖啡、巧克力，甚至菸草及鴉片等，也莫不有這種異國情調的殖民美學成分在焉。巧克力的不幸，乃是它在早期出了哥洛根侯爵夫人這種顛倒過來的案例，私生活大膽放肆的她，過早地享用這種異國情調，差一點就斷送了巧克力在西方的命運！

飲食和席間談話之美學

讀過《柏拉圖對話錄》裡〈饗宴篇〉的，一定會對古希臘人宴會時的表現覺得不可思議。他們有時鬧酒，有時又一本正經地暢談各種哲學道理。蘇格拉底在〈饗宴篇〉，就一口氣的灌下了兩公升葡萄酒，眞讓人歎爲觀止。

〈饗宴篇〉是重要的歷史文獻，顯示出「席間談話」（Table-Talk）的重要。古時候的人，在宴會上究竟都在說些什麼？這些「席間談話」對人類的文明和文化究竟做出了什麼樣的貢獻？

「席間談話」是看似瑣碎、但卻大有學問的重要問題。宴會是個同歡的場合，吃飽美食美酒的胃，必須美好的頭腦來灌溉，吃東西的口和說話的嘴，只有在這時候才會完成奇妙配對。於是，無論哪一種文明，在它的早期，都對「席間談話」至爲重視。

從古希臘到古羅馬，「席間談話」有生活哲學，有詩，有夾敍夾議的機智型笑

曖昧的爆笑裡，
就是少了一點東西。

話。今天我們稱學術研討的場合爲「研討會」（symposium），其中，sym-是「共同」的字首，posium則由 potes 延伸而成，它代表了「飲者」。由這個字已清楚顯示古代「席間談話」可以說乃是學術的起源。

而更有趣的，則是文藝復興時的「席間談話」，大家吃過飯後喜歡比賽說故事。將道聽途說的消息加油添醋的變成傳奇。例如著名的《十日談》及《坎特伯利故事集》等，大體上即是在這樣的背景下產生，它後來演變成今日的「小說」。今天的我們回頭去看那些有趣的故事，實在不得不佩服以前人的想像及說故事的本領。吃飽後的胃，會對頭腦的功能做出「補償式的幻想」，古代「席間談話」所留下的故事，是最好的證明。

「席間談話」的傳統，後來又延伸成上流社會的「沙龍」及中產階級的「咖啡餐館文化」，這也是吃飽後的頭腦體操，涵蓋範圍及於文學藝術和政治，它們都類似於「清談」，但卻又不像「清談」那麼虛無縹緲。

因此，「席間談話」不僅重要，而且可以映照出每個時代在瑣碎中所顯露的氣質和品味。當代英國思想家坎貝爾（Colin Campbell）寫過一本書《浪漫倫理和近代消費主義精神》，他認爲人類的宴樂是一個發展的過程，逐漸由身體感官的享樂走向頭腦的享樂，他稱之爲「二度享樂主義」。而「席間談話」正是這種「二度享樂主義」的開始。

因此，宴會或聚會的場合，能夠在酒酣耳熱之餘詩詞歌賦一番，總勝過言不及義的喧鬧打屁。我最恨的是許多吃飯的場合，吃飽喝足後就本能地將興趣轉到下體，引出一堆黃色笑話。曖昧的爆笑裡，就是少了一點東西。這時候就想到台灣以前老人家的榜樣，他們會成群雇船到冬山河河宴賦詩；也會到江山樓、開元寺聚餐，飲風弄月。而那樣的傳統，卻離我們愈來愈遠了！

卷 4 最好的愛情

原意不是爲了傷害
　只是爲了留存快樂的回憶
但人們畢竟仍然年輕
　必須學習懂得記憶
它於今成了危險的武器
　一枚定時的炸彈……

——英國桂冠詩人泰德・休斯

若想被愛，先學習去愛

英國的理論家伊戈頓（Terry Eagleton）說過當代人的悲哀，那就是慾望已取代了一切，而成爲最後的實在。這種轉變，顯示在使用的語言中。我們最先說「主體」，而後「主體」變成「身體」，再來是「身體」變成「慾望」，最後則是「慾望」成爲「性慾」，而「性慾」則變成白話文的「春藥」。現在到了「春藥」勃然而興的時代。

關於春藥，有一個古老的故事。一個爲情所困的人向魔法師求助，希望賜予一種靈丹妙藥能打動他癡戀已久的對象，魔法師拒絕了要求，答覆說：「你若想被愛，首先必須學習去愛。」

這是個好故事。提出要求的人深陷在情慾世界神祕、痛苦、無能爲力的焦慮中，他希望有一種靈丹妙藥能調控自己的身體或掌控對方。但魔法師卻不想破壞這種神祕，寧願當事人自己去尋找。這個故事點出了春藥的起源和它的終極答案。

春藥起源於對情慾世界的困惑及掌控的願望。因而它從「譬喻」這個最原始的想像領域開始摸索。許多部落都一度相信某些形狀的動植物，如香蕉、茄子、犀角、鹿角尖，以及酷似女陰的無花果有特殊的魔力；也有許多部落深信吃什麼補什麼的邏輯，因而有了虎鞭、鹿鞭之類的出現，直到十九世紀，英國上流社會都還流行生食公牛的睪丸。

而就在以「譬喻」為起源的摸索中，漸漸碰撞出一些實用性的壯陽助淫藥物，如曼陀羅根部磨成的粉，某幾類甲蟲殼，以及許多特殊的樹皮樹根及蕈類等。它刺激性神經和擴大性感覺。它是早期的迷幻藥物。無論古今，當它被視為一種神祕術而珍惜或只當作祭典之用，或許仍可相安無事；當它成為一種流行和耽溺，則多半反而走到它的反面。原因不是別的，而是當愛慾被化約成藥物及化學，人反而荒廢掉愛慾本身更重要的許多成分。人的身體是個橋梁，若一切都需借助藥物來加工，最後反而是身體潛能的荒廢。西門慶變成春藥加工的性機器，就是個極端的例證。

說到春藥，有另外一個更特殊的例子，他就是前代大作家威爾斯（H. G. Wells）。威爾斯面貌身材都極平常，但卻終生豔聞不斷，而且多絕世女子。有人問他的情人，大都講不出個道理。只有一個在猶豫好久後說：「他聞起來像蜂蜜。」後來的人

春藥起源於對情慾世界的困惑及掌控的願望。

註解說：他表現出的乃是對愛慾極有信心的那種人之特性與能力，這種人有本領讓自己的身體變成大型春藥，長久的吸引別人。

西門慶和威爾斯之間，則是爲春藥所困的芸芸衆生。

吃醋和妒忌

「吃醋」（Jealousy）和「妒忌」（Envy）是不同但又相似的兩件事。

吃醋多半用於戀愛上。儘管有人說愛情的甜蜜需要吃醋來灌溉，但這種吃醋多半是為了營造愛情氣氛而製造的小伎倆，它是打情罵俏或裝嬌賣癡的好題目。一點點假醋，的確可以讓愛情變得更珍貴；但若吃醋成了真，那就難免變成愛情的夢魘，終至摧毀愛情。

真正的吃醋會讓人猜疑、自我折磨，最後折磨他人。莎士比亞的《奧賽羅》是齣吃醋的悲劇，劇中的對白說道：「吃醋是一個青眼睛的妖怪，最會戲弄它要吞噬的魚肉。」「像空氣一般輕的瑣事，對於猜疑的人，會像是聖經上的證據一般確鑿有力。」到了最後，由於吃醋，愛情的冠冕終於讓位給了酷虐的憤恨，一切都在吃醋的憤恨中成了飛灰。

有一大半殘破及變成怨偶的愛情，都起源於吃醋。吃醋會使人看輕自己，而後讓

像空氣一般輕的瑣事，
對於猜疑的人，
會像是聖經上的證據一般確鑿有力。

猜疑毀掉原來的擁有。吃醋是一種「自我實現的預言」——它指愈是恐懼某件事情，最後自己做的反而是讓它得以實現。

我自己早年深受吃醋之苦，那時不成熟，缺乏自信，又不懂得珍惜，活得非常防衛。但愈是防衛，卻反而失去得更多，愛情因此而消失，混亂了很多年才找回自己。由於對吃醋懂得多，對與它配對的妒忌，也同樣別有會心。

妒忌主要是指愛情之外的人間事。當別人擁有的比我爲多，而我覺得這不公平，於是遂有了妒忌。有人認爲妒忌會讓人更加上進，但實際的情況多半不是如此。妒忌是一種特殊的心理、一種嫉恨。當人們有了妒忌之念，他就會刻意貶低自己原先就已擁有的，並誇大自己所沒有的，蓋只有如此，妒忌的動力始有可能維繫。

而妒忌比吃醋更加複雜，在於妒忌經常以一種義憤的方式來表達，使人們產生判斷上的困難。我們完全沒有充分的證據來研判一個人的憤怒，究意是因爲妒忌或義憤。一切都要到了以後：

於是，一個人義正辭嚴地指責別人奢侈。如果有一天當他也有了錢，竟然也加入了奢侈的行列，這時候我們就可以說他以前的憤怒，並非源於義憤，而只是妒忌。

於是，當一個人自稱民主鬥士，有一天他有了權力，而並不比以前更好，這時候也就可以認定，他以往的一切都因妒忌，民主鬥士也者，不過是掩飾妒忌的堂皇面具。

義憤由願景所推動，它會促成進步。妒忌則也有憤怒，但卻只造成循環。妒忌和吃醋一樣，其實都不是什麼好東西，它們不會產生小愛，更不可能造成大愛！

兩種「感情的教育」

先後有兩個作家寫過以《感情的教育》爲名的小說。在前的是法國的福樓拜（Gustave Flaubert, 1821-1880），在後的則是當代美國女作家歐慈（Joyce Carol Oates, 1938-），它們說的都是人無法去愛的故事。

福樓拜的《感情的教育》寫的是一八四〇年代的巴黎，一個學生費德列，他是個波希米亞式的文化青年，周旋於貴婦，別人的娼妓情人以及其他少女之間，但他那種不對任何愛情做出許諾的態度，最後卻使得所有的機會都擦肩而過。他和他的朋友將一生過得糟亂無比，最後除了年輕時的記憶外，即一無所有。及至年華漸去，重遊妓館，他和朋友都承認「在這裡，我們曾有過生命最好的時光」。

歐慈的《感情的教育》則寫美國緬因州外海的一個度假小島，一個念名校的大學生隨母親來此探親度假，並和只有十四歲的表妹戀愛，這個青年非常自戀，無法與人相處，最後在海邊與表妹做愛後失手將她扼死，並棄屍大海中。在這篇由愛情變成暴力與死亡的小說裡，將現代人的緊張焦慮、難以相處、對情緒的無法控制等都一一道來，讓人看了很不舒服。

兩篇《感情的教育》，兩個對感情無能的故事，它們都濃縮著兩個時代的特性。因此，所謂的「感情的教育」其實所說的乃是一種反詰，它顯示出感情的失敗。

對十九世紀中葉的巴黎或歐洲，以往那種以人與人之間的相互許諾爲基礎的感情世界，早已在社會的變遷裡蛀蝕，人們的感情世界有了更多可能性，但也意味著更加的不確定。於是，無法去愛的感情衰弱遂告出現，它飄浮在各種可能性之間，最後卻使自己成爲不可能，終至毀掉一生。福樓拜的《感情的教育》，說的是當時的資產階級和依附於它的波希米亞文化青年階層，他們的感情衰弱起源於浪漫的頹廢。

但歐慈的《感情的教育》卻不然。它說的是一九八〇年代美國的普通中產階級社會，在這個人們的生活愈來愈受到家庭以外的因素所影響，愛也愈來愈被性所取代的時代，人們的愛情遂日益變成一種可疑的事務。在歐慈的小說裡，人與人之間恆常溝通困難，縱使在愛情裡也都充斥著不知如何是好的緊張與糾纏，這才是不幸的起源。在表哥誤殺表妹的故事裡，眞正表現的是這個時代的感情衰弱。它使得愛逐漸變得不再可能。

人們的感情世界有了更多可能性，
但也意味著更加的不確定。

由於感情衰弱，遂有感情的失敗，但兩位傑出的作家卻也不知道眞正的「感情的教育」應走向何處。有些事情是在我們知道得愈多的同時，反而變成知道得愈少。對失敗的感情不就正是如此嗎？

還不完感情的債

當代英國桂冠詩人泰德・休斯（Ted Hughes）死了，過世一個星期後入土。當得知他死前的種種，不禁為之欷歔。他的一生被情債拖累，活得異常沈重，不知道是否終於能在死亡裡，將債結清？

休斯是當代英國最重要的詩人、兒童文學家、環境保育運動及反污染運動領袖。他長得高挺瘦削，有如巉巖，他的詩也峻峭而有狂野的古意。照理說，像他這樣傑出的詩人，縱使沒有獲得諾貝爾文學獎，也早就應該得到全球普遍的推崇。但所有的這些，都和他無緣，因為他有感情上的原罪，債主是美國女詩人普拉絲（Sylvia Plath,1932-1963）。

休斯和普拉絲，兩個年輕而小有知名度的詩人，由邂逅而旋風式的相戀與結婚，一度讓許多人羨慕。但很快的，愛侶即翻轉成了怨偶，他們的婚姻維持不到七年即告仳離，幾個月後，普拉絲以煤氣自殺，她留下許多指控愛情的作品，被後來的女性主義者視爲偶像，休斯當然成了女性主義的第一號公敵。除了女人恨他之外，美國文學界也同樣恨他，認爲是他害死了普拉絲這個美國的文學天才。

而我們不知道，這到底是命運的撥弄，或者是他眞的相中帶有刑剋，休斯在和普拉絲離異後，他的新女友薇維兒（Assia Wevill）也同樣走上用瓦斯自殺的命運。一個有名的詩人，背負了兩個女子生命的重擔，他再也走不出這個陰影，儘管他和第二任妻子卡露兒關係水乳交融地維持了二十八年之久。

這是還不淸的感情債務，過去三十五年裡，休斯不斷的被普拉絲的崇拜者攻擊，他沈默以對。九七年他罹患結腸癌，幾個私密的好友勸他趕在不多的餘日裡將這段感情的債做個了結，於是他遂打破了三十五年的沈默，於九八年初出版詩集《生日信札》，用隱晦但人們都能讀出來的方式，述說著他和普拉絲的種種。他到生命最後的一刻決定走出情債的陰影。九八年他獲得兩個英國最重要的文學獎，英女王也賜予他「美德勛章」，活著的人得此勛章他是歷史上的第二十四人。只是八月的授勛大典他已病得不能親自出席了。最後，他於十月二十四日病逝，十一月三日葬於住家附近。

休斯是否還淸了感情的債，沒有人能夠知道。但他有一首詩，談到看過去錄影帶的感覺：

原意不是爲了傷害
只是爲了留存快樂的回憶
但人們畢竟仍然年輕
必須學習懂得記憶
它於今成了危險的武器
一枚定時的炸彈
……
而今妳在我們心中的墳塚裡
它的爆炸還有何傷何懼
豈不有如閃過的甜蜜
滑過肌膚與神經
這些已發生過的事情。

人盡情去，徒留殘損而苦甜並存的回憶。休斯這一輩子，活得可眞是辛苦啊！

愛與死的辯證

童話《睡美人》裡，沈睡的公主要等待一百年，才等到王子那拯救的一吻。從此，愛情在一吻中萌芽，生命從此而改變。

因此，《睡美人》的故事，其實乃是一則有關昔日愛情的寓言：愛情乃是鵠候已久的邂逅，正因等了如此漫長的時間，難怪當愛情迸發，遂總是那麼的驚天動地。

這並非愛情的本質裡有什麼驚天動地的因素，而是鵠候與等待使得愛情被添加了神話的風采。鵠候是一種深沈的焦慮，在它的驅迫下，愛情就會變得更加偉大，而人則開始自動縮小，並願意爲愛情做任何樣的犧牲。在各類愛情故事裡，包法利夫人的遭遇最讓人悲憐。她出身小家碧玉，對愛情充滿了浪漫的狂想，她鵠候愛情的結果，不但爲情所困，甚至還爲愛而亡。罪魁禍首即是鵠候愛情時對愛情不切實際的想像。她的愛情觀熾熱得成了一種惡兆：

愛情是某種突然而來的事，如同閃電令人目眩的光芒。愛情源自上天，被抛進生命之中，它君臨一切，彷彿風捲落葉。

這時候，就讓人想到童話的另一個故事：有一種藥會使人昏睡，醒來的那一剎那，第一眼無論看到誰，都會瘋狂地愛上。這是愛情的迷亂，它和懵懵懂懂中有如幻夢的愛情等待，不正好相同？等待愛情的人會將第一個視爲獨一無二，不再有其他。當然也會爲第一個而盲，也被第一個所傷。

D・H・勞倫斯的《彩虹》是女性身心的成長小說。女主角尤蘇拉幾經挫辱傷害，後來說道：「愛情不過是個途徑，也是一種方式，但它並非目的。」「我認爲世上有許多男子可以去愛，並非只有一個。」由於不再相信獨一無二，她遂不必等待，而是自己開始去追尋，因而也就不再有被蒙蔽的幻想。

愛情的凶險在於等待，等待王子那拯救的一吻。等待使人盲目，也使人對愛情無從分辨，當然也就對愛情的疫病無從抵抗。十九世紀畫家格萊姆肖（J. A. Grimshaw）有幅畫作，一個身穿鑲蕾絲花邊白衣的少女，手持代表了純真的百合花束，在花園裡踟躕，她的背後則是一片紅花繽紛。這幅作品所寓意的，乃是愛情的等待與人生的過渡，少女即將由純真無憂的雪白人生，走向狂熱但卻不安的豔紅愛情。白與紅的這種對比，雖然亮麗鮮豔，卻予人有惘惘的不安之感，似乎在那一片耀眼的紅裡，蹲踞著

爲愛所困，爲情傷生，
愛情而有血色風采，讓人爲之浩歎。

什麼不可測的事務。

爲愛所困，爲情傷生，愛情而有血色風采，讓人爲之浩歎。愛與死曾是文學裡不斷出現的配對，十九世紀大詩人丁尼生（Alfred Tennyson,1809-1892）有一首〈愛情與死〉，其中的句子可以讓所有被愛情光芒照得目眩心迷的男女警覺：

因而，在愛情偉大的永恆光照裡
璀璨的生命遂創造了死亡的黑蔭。

白宮偷情之詠歎

對於偷情的不倫之戀，有兩種完全不同的態度。一種擔憂風險，另一種則強調刺激。

以風險警告人的，可用牧師詩人克羅夫（Arthur H. Clough, 1819-1861）爲代表。他有這樣的詩句：

切莫偷情
與之俱來的好處很少。

但和克羅夫相去不久的英國頹廢大詩人道森（Ernest Dowson, 1867-1900）卻不以爲然。他有詩句曰：

生命是變幻的假面舞劇
是貞潔的瑣碎倦怠；
沒有一種愛情能夠勝過那種無法自由的愛戀。

風險和刺激相比，哪種更加值得，或許並無答案，但柯林頓卻無疑地讓它的刺激很快就走到了反面。一本亂七八糟的情史，變成一册厚達四四五頁的春宮小說。這是不可思議的羞辱，誰教他自己要變成如此廉價的箭靶。可以預見的乃是從此以後，諸如「雪茄」、「拉鍊」等都將因此而有了不同的諷刺意義，甚至「白宮的走道」也將成爲調侃的隱喻。柯林頓創造出了一則獨特的傳奇故事，他成爲最失敗的花心老倌。他將會被人輕蔑、調笑、譏諷，而他的職業角色最需要的則是被人尊敬！在譏諷他的文章裡，女性專欄作家莫琳・多德（Maureen Dowd）的觀點可能最惡毒，她寫道：

柯林頓的亂搞實在低劣並惹人生氣。他的性場面皆貧乏、無創意、孩子氣、讓人厭倦，而且居然是在辦公室的走道和洗手間。……他喜歡用以前甘迺迪總統的胡作非爲來辯護。但別忘了，甘迺迪可是酷得很啦！他的女人也都是些超級名女人。他也敗德，但至少敗得很有格調！

柯林頓的花心故事可以從許多角度來解讀，它是權力的色慾勾引，是一種瑣碎的政治鬥爭，變態性癖的研究者可以從裡面驗證「花癡」的症狀，甚至還可以看出柯林頓的準性無能。柯林頓的故事是個偷情的萬花筒，他的招蜂引蝶，最後使自己被螫得體無完膚。柯林頓所演的是一齣大型的偷情戲。日本稱偷情爲「地獄之戀」，他則將愛的地獄活生生的搬到了台前。

這時候，就想到了一本當代最好的偷情小說《偷情記》（An Adultery）由梭洛（Alexander Theroux）所寫。小說裡最深刻的是主角獨白的那幾段。他指出偷情正因它的沒有許諾及焦慮，因而饕餮式的性遂成了它的獎勵及懲罰。它使人大膽，用大膽來補償缺陷與不安。最後則是：

在這裡，惡兆般的親暱使它被曳往陰暗的角落，並在這樣的墳塚裡尋求慰安，他在倦怠和扭曲的鬼臉下重申慾望和愛，並等著地獄從上面直直掉下來。

最好的春藥是故事

春藥當道，到底什麼才是最好的春藥？當代女作家伊莎貝・阿葉德（Isabel Allende）說，最好的春藥是彼此用最好聽的故事來相互灌溉。

她在最近出版的新著《春藥——感官回憶錄》裡，有這麼一段話：

「準備一次精妙絕倫的晚餐，而後共同享用。當紅酒祕密的暖意以及食物香料那種令人發癢的感覺流過血脈，而預期的愛撫使得皮膚洋溢著薔薇色的微紅，這時候，可以停一下，彼此用故事或詩來灌溉，這是古老東方最美妙的傳統。故事可以喚醒激情，可以讓激情升高，也可以讓食慾滿足後的冷靜再起波潮。說故事是讓男人在酒的微醺之後保持清醒亢奮的最妙方法，也是讓女子覺得倦怠後續保亢揚的靈藥。說故事及讀首詩，若是從未說過的，語調和韻律要盡量獨特，可千萬別變成錄影帶裡的那種朗誦。如果兩人都沒有說故事的才分，可以從浩若煙海的文字裡，從美妙的色情文字或最低俗的黃色故事找出片段。讓歡娛在餐後延長，讓愛慾持續，而後將會發現，縱使那麼瑣碎例行的性，也會變成永遠難忘。」

這就是伊莎貝・阿葉德的春藥觀。爲了吃春藥，而要去找無尾熊的掌、火蜥蜴的眼，或者處女的尿液，這種人大概已需要去看心理醫師，而不是需要春藥。春藥不在饕餮的貪婪之中，不在稀奇古怪的補藥中。最好的春藥是兩情的相悅、相互逗弄與灌溉。她舉了許多例子：埃及艷后的魅力來自她讓蜂蜜流在身上，讓情人吸吮；大鼻子情聖卡沙洛瓦則用自己的舌餵生蠔給情人，這個偉大的挑逗者不知道挑逗出多少愛情。他們都不要春藥。許多偉大的愛情，靠的都是平凡的事物，如紫丁香，如水蜜桃，以及更平凡的雜草香。日本有一首和歌：

你慢慢走來

帶著清晨新刈的雜草香

我的乳尖爲之戰慄。

由春藥說到愛慾，這時候就讓人想到前代豪放女子安奈絲・琳（Anaïs Nin）的一則故事。她曾受雇寫情慾故事給一個客戶看，這個高級客戶被稱爲「收藏家」。但後來她對客戶的要求日益不滿，因而寫了一封信：

「親愛的收藏家：我恨你。當性變成如此明顯、機械化、過分的動作，它就已失去它的魔力，而變成一種機械式的著魔。我對這種故事已極厭煩。當性沒有和感情、饑渴、慾望、幻想、隨興、人、深刻的關係等聯繫，它就已是錯誤，這些乃是改變性愛的色彩、氣息、韻律，以及強度的關鍵。」

在「威而鋼」的時代，阿葉德的春藥觀或許才是更正確的吧！

城市和雜誌的愛情故事

連續幾個星期，《紐約客》雜誌的總編輯蒂娜・布朗（Tina Brown）去職的消息，不但是美國國內的重大新聞，甚至在外國報紙上也都占據著重要的版面。大家都惋惜地說：「蒂娜・布朗離職了！」

一家雜誌社的總編輯離職，應當只算小事，但發生在《紐約客》雜誌上，則成了頭等大事。原因不是別的，而是《紐約客》本身的獨特地位，它是迄今爲止，高檔「雜誌文化」唯一的代表。同時也是紐約這個城市的標誌。儘管它只發行八十萬份，但它在文化上的重要性卻遠遠超過於此。紐約因爲有了《紐約客》而變得不同。許多人都說過類似的話：他們之所以願意在紐約居住，就是因爲《紐約客》。

因此，《紐約客》是對這個城市的愛情媒介。紐約的人對這個城市的感情有若怨偶，恨與愛糾纏，但卻又無法割捨。

紐約人必然恨紐約・這個城市嘈雜混亂的程度，直可謂舉世無雙。世界各國的人都擠往紐約，人種多得讓每個人都覺得出門彷彿出國。紐約的治安也極其敗壞，行人必須在許多地方小心。一旦入夜，紐約狂亂的一面更形彰著，許多區域還不時冒出冷冷的槍響。紐約讓人不安，甚至使人抓狂。

但紐約人也必然愛紐約，它是全球最豐富的城市，最好的表演和展覽也都往這裡集中。當人們在街道上行走或進入餐廳茶座，很容易就邂逅到頂級的名流。紐約有龐大的才子佳人群落，他們使得紐約有最好的報紙和雜誌。住在紐約，似乎也都自然的能夠分享到它的文化光彩。《紐約客》維繫著人們對紐約的愛戀。

在對紐約的愛恨交纏裡，愛終究還是戰勝了恨，紐約和它的衛星城鎮也就人煙日益稠密。紐約有來自全球和全美的中產文化菁英，他們都喜歡看《紐約客》這份雜誌。《紐約客》是紐約的主流高檔文化。它關切政治、文學、藝術等一切文化相關事務，並將這種主流對外輻射。

看《紐約客》是一種滿足，多少也有點虛榮。這份雜誌的讀者必屬菁英，因而它的雜誌編排不必仰仗譁眾取寵的標題，也無須誇張的照片，它外形的平淡裡躲藏著高級的品味和關切。《紐約客》七十年的生命裡，開啓過許多先驅性的討論，也創造出許多神話。一篇文章的稿酬貴到二萬五千美元，即是它的神話之一。我看《紐約客》

多年，始終無法忘懷。

紐約因為《紐約客》而不同。一個城市和一份雜誌，也可以有這樣的愛情故事。

看管慾望，始能守護生命

對於邪惡與犯罪，人們的所知實在有限。

我們無法理解，爲什麼一個台大法律系學生竟會爲了區區六千元而行搶與強迫猥褻？爲什麼一個生活優渥的兒子，竟會夥同外人將雙親活活砍死？爲什麼一個研究所女學生，爲了爭風吃醋，在將別人失手打成重傷後，竟會想到用王水來毀屍滅跡？

這些都是犯罪，而犯罪之前則有邪惡的動念。法國詩人暨作家梵樂希（Paul Valéry）說過動念與犯罪的關係：

犯罪可以被視爲犯罪者的解脫、驅魔，或再生。他們在犯罪前已懷下了即將誕生的邪惡身孕，這已使他們成爲可怕的犯罪者。

因此，犯罪前所出現的邪惡念頭可能才眞正的重要。當惡念浮起，它就會將人驅動，使人失神著魔，焦慮地被拖曳著走向惡念所設定的目標。因此，這種邪惡的犯罪，等於犯罪者已被惡念帶進了一場噩夢中。梵樂希遂如此說道：

幾乎所有的犯罪者，在他們犯罪時都形同夢遊。因此，我們可以說，所謂的道德感之功能，乃是在關鍵時刻，喚醒那可怕的、正做著噩夢的人。

由犯罪如同夢遊，就想到了人的著魔。著魔是一種疫病，它會因爲愛情而被催生，也會被邪惡的念頭所激起。著魔是一種偏執，它有如接錯了的線路，當人一旦著魔，他在那個瞬間即成了撲向燈火的飛蛾。邪惡之可怕，乃是它在勾引人們的同時，又對被勾引到的人施以嚴厲的懲罰。

人之脆弱，在於人具有被邪惡勾引的可能。人因爲貪得而苦惱，苦惱生嫉恨，嫉恨生邪惡，一旦邪惡入侵，人就恍如墜入火熱地獄。也正因此，古人遂總是在提醒人們必須守護自己。詩人布萊克（William Blake）在連篇詩集《經驗之歌》裡有一首〈病玫瑰〉，詩曰：

啊，玫瑰，你已得病！
匿形的蟲豸
暗夜裡飛翔
在咆哮的風中

人之脆弱，
在於人具有被邪惡勾引的可能。

它發現你的床褥
一片猩紅的歡娛
在它幽黑深祕之愛裡
你因而毀滅了自己的生命。

在這首詩裡，生命被譬喻爲玫瑰，而邪惡則是那些戀花的蟲豸，並隱喻著種種俗世的慾望。看管慾望，始能守護生命，這種古老的道理，或許更適用於今日。

權力、愛慾、地獄

人間正因多殘缺，所以才變得美好。錯誤的配對、陰差陽錯的邂逅與際遇，永不止息的禁忌之愛的追逐，很難讓人毫不羞怯的去歌頌它的悱惻煎熬，但卻使人更深的體會到愛慾糾纏的脆弱。

因此，日本人遂稱禁忌之愛是「地獄之愛」。從愛的剎那開始，它即和禮法、過去的許諾全面為敵，他（她）們在悖離所有，也在防範所有的窺視與察覺，禁忌之愛是黑色與紅色混合的陷溺地獄，預知的沒有結果，使愛慾變成灼身的蒼白，讓焚燒也變成了快樂。

不該愛而愛，不能愛而愛，更特殊的乃是權力的愛情激舞，由於愛情之中經常存在著權力的向光性，爾虞我詐、勾心鬥角、黨同伐異，甚至經常打鬥得乒乒乓乓的政治鬥場，也就恆常裝飾著粉紅的色調。從鑰匙孔裡看政治，會讀出與教科書裡完全不同的景象。

政治的本質是權力的饑渴，它和愛慾的饑渴來自同樣的源頭。美國南加州大學的文學教授布勞迪說過：「女人乃是正常社會與名人社會之間的橋梁。」圍繞著政治名人社會，無論古今中外，從來即存在著一個等待著去攀緣的美女群落、性別權力的不同使得許多美女變成奔向權力光芒的蜉蝣，要以美貌分享她們無法獲得的權力驕傲，而「**權力是最好的愛情妙藥兼香水**」，權力的饑渴及春藥本性，因而有了類似於蜉蝣性格的愛欲轇轕。日前相傳國安局敗德的竊聽立委電話，宣說立委有情人一千餘，平均每個立委有八個情人。竊聽他人臥榻之上的隱私是權力濫用的頭號大罪，它比權力和愛慾糾纏更加骯髒齷齪。

一個立委平均有八個情人。許多人曖昧的笑著說：「怎麼這麼勇！」但若細究，這其實好像也沒甚麼。在愛慾和權力糾纏不清的這個時代，在朝在野的達官政要，有另外一個、兩個或更多枕頭的故事早已書之不盡，穿幫之後，元配夫人一把鼻涕、一把眼淚的在記者會上宣稱原諒的溫情鏡頭，也不再那麼讓人覺得新鮮。曾經很偶然的相識一個專門侍候政要夫人縫衣服的活躍女子，她說道：「那些官太太對她們老公走私的抱怨才眞是兒童不宜的精采！」

這眞的是沒甚麼。權力與愛慾的糾纏，從來就是另外一個特殊的小世界。權力會壓縮一切，當然也壓縮了男女相悅，從凝眸彷彿電殛，到花前月下死生相許，以至於相互探索靠近的纏綿漫長。**權力會讓所有的一切都快速發生，快速完成。**具有權力的人有太多事務縈心，他們已不太可能像《愛在瘟疫蔓延時》那樣一生一世只追求獨一的愛情，權力的愛慾壓縮了愛情的時間，當然也壓縮並在壓縮中崩壞了禮法。權力的愛慾因而變得更有效率。

就以英國爲例吧，十八世紀乃是俗民大眾的價值被規範得超終保守的時代，但交際花型的女子卻可自由自在的在國會大廈串走。到倫敦旅遊，千萬一定要去離國會不遠的數百年老店「安妮酒吧」一行，它是數百年來官員、議員和美女邂逅的場所。喬艾斯的《都柏林人》裡多次提到愛爾蘭的政治領袖巴奈爾，他即和情人在這裡大跳脫衣舞，甚至還色急的在國會的桌上就那麼起來。**權力的愛慾將一切都壓縮得驚世駭俗。**甘迺迪總統在白宮邀美女性狂歡，白宮的噴水池變成天體大會的浴場，搭乘專機也忘不了將「百萬美腿」的女友影星安姬狄金蓀請來，在機艙裡就那麼起來。權力的饗宴與性的饗宴，兩者之間原來竟是同一枚錢幣。

權力的愛慾是一種不可能的愛情，男女的相悅能夠隱瞞終生，用以彌補婚姻未能滿足的缺陷，這樣的愛情雖非唯一，但卻獨二，縱使道學夫子最後也難免會在理解人間的無可奈何這一點上加以同情的包容，就好像《麥迪遜之橋》一樣，而這也是已故法國總統密特朗垂逝之年，將他業已成年的私生女曝光的原因。密特朗的妻子安妮特，乃是一等一的大家閨秀，高挑而貴氣，充滿了古典的高雅與聰慧，但她仍不能總綰密特朗的一生愛情，愛情的不可解和無可奈何，使人在替安妮特抱不平中寬恕了一切。人們怎麼會去指責一個老者隱瞞了終生的另一段愛情，正如同《麥迪遜之橋》那一雙兒女，他（她）們在拒絕接受的掙扎之後，也終於理解到母親隱瞞一生的那段愛情後面的生命限制。

但絕大多數權力與愛慾的糾纏，卻都沒有這麼好命的結局。有權力者的另一段愛情，與有權力者的另一種愛慾，仍然是不同的。前者和凡夫俗子的禁忌之愛相同，它在煎熬中被隱藏，最後在不同意但卻理解的心情下被勉強寬恕。人們寬恕，是因爲他已付出過創傷。而後者，由於權力的色彩多過愛情，也就難以被人寬容。

因此，大概不會有人願意接受甘迺迪家族裡的那些風月情事是愛情，而更願意相信那是一種權力之上的美女花束。他們是在用權力編織漁網，獵取依附於名人群落周邊的美女群落。一九六三年，英國國防大臣普洛夫，因爲與交際花姬樂有染，而毀掉即將到手的總理寶座；美國參議員哈特，也因爲與模特兒唐娜萊絲牽扯，而失掉有可能到手的總統寶座；七六年美國衆議員海斯將「我不會打字，也不會歸檔」的情人聘爲助理，用公帑來養花瓶，一直到九四年參議院議員派克梧將七、八名助理當作情人，太多使人身敗名裂的艷聞情事，當人們愈來愈喜歡從鑰匙孔看政治，也愈來愈嫉恨權力以一種曲折的方式交換著愛情，這種類型的故事也就愈來愈多，當然到了某一天，它也就會愈變愈少。德國、英國、美國、澳洲，近年來此類事件不斷被揭露，澳洲前總理霍克爲情人之事而公開道歉，柯林頓與寶拉之事猶在牽扯，英國反對黨領袖阿希貝公開道歉，權力的愛慾遊戲舞台愈變愈小，當然不必說那幾個美國衆議員，出國考察看到空服小姐也要求上床，因而被檢舉，草草結束政治生命的故事了。

權力的愛慾糾纏是不會結束的生命戲劇，它的劇目情節不斷變化。有了權力就有過剩的愛情。在被壓迫的政治運動裡，被壓迫的緊張與相濡以沫，通常也都濡沫出身體的黏結，許多國家的反對派政治皆如是，馬丁路德金恩博士以性亂來聞名，他即說過：「性幫我解除焦慮」。這種反對運動的身體黏結，在台灣似乎也不是例外，但被壓抑下所造成的這種景觀，通常也都會被諒解。**在殘缺的世間，大殘缺會使我們更容易體諒小殘缺**。而當一切都變得比較美好時，這時候我們就開始追求平凡。西方人愈來愈要求政治人物像隔壁的爸爸媽媽，一切都可以被看透，總統候選人從結婚到生子只有六個月，這表示他是「先上車，後補票」，為了先上車的過去，候選人都要嚇得急忙道歉，當然更不接受其他的愛欲情事了。有趣而挑剔的平凡，若想不平凡，就不要去搞政治。

權貴的情事最浪漫得轟轟烈烈的，乃是希臘前總理巴本德里奧，他先有了美艷的空中小姐咪咪為情人，公然同進共出，甚至國際會議也出雙入對，而後與擔任教授的元配仳離。垂垂老者而有青春年少的狂戀，不避忌諱，在愛情上的大膽，換來政治生命的結束，臨老入花叢的率直，就想到十八世紀伏爾泰的老年圓融。他在老年時聲望鼎盛，貴婦夏德萊向他示愛，他寫了一首名垂千古的詩信婉謝，有句曰：

「如果妳希望我還能戀愛，

請妳還給我戀愛的年齡。

但願妳能把生命的黎明，

銜接上我這衰年的暮靄。」

人們都哀歎著失去少年時期在愛情中的癡呆與癲狂，但時間是我們最不可能克服的敵手，時間使許多事情褪化成惘然愁悵，政治人物再大的權力，也挽不回時間的翅膀！

情書啓示錄

「女爵說道，一名被愛的女子，可以自由的從情人那裡收受下列禮物：手帕、繫髮帶、金銀項鍊、胸針、銅鏡、緊身內衣、小提包、書籤絲帶、袖套及手套……等當作贈念。這也就是說，只要不涉及邪惡，她可以接收情人的任何有用的、好看的、或者會想到對方的禮物。但希望所有的愛情騎士記住，女子若收到情人的戒指，應戴在左手小指，戒指的寶石朝向手心，因爲左手一般而言比較不會接觸到不淨不潔之物。而民間信仰也認爲小指象徵著生與死。將戒指藏在手心，也是爲愛情守密。同樣的，如果情人們相互通信，應避免簽上名字，除非使用祕密印緘封寄，否則也不要用任何有姓名的膠泥。守護情人是兩人的責任。」

這段紀錄，出自一一七〇至七四年間歐洲愛蓮娜皇后宮廷所出的《宮中情愛寶典》（The Art of Courty Love）。它開始了今日的「情書體制」。法國學者查蒂爾（Roger Chartier）在《文藝復興時期私人生活史》裡說道，從十二世紀到十六世紀是歐洲的情書時代，尤其是一五五〇年之後更盛。文字文明普及化，使得人們熱切的運用情書來表達自己的情思與愛戀。

在那個情書發揚的時代，每個宮廷都鼓勵騎士淑女們識字寫詩。騎士們有權向任何淑女貴婦獻上全心全意的愛慕。淑女將情人的書信放在小絲囊裡，貼心藏在束胸內衣處，或吊在胸前。後來由於法皇亨利四世用S這個字母當作愛情的神祕符號，情人們在相互投寄書信時也都用S字母署名或封緘。文藝復興是感情解放的時代，情書和隨著情書而寄贈的小禮物風行。情人隨信相互饋贈的，以頸鍊、絲帕、胸衣、珠串爲主。情書代表愛慕，禮品則是信物，對方都要貼著皮膚配戴或藏匿。十六世紀的大畫家霍爾班（Holbein）和希里亞（Hilliard）走在時代前面，爲情人繪製小型或超小型畫像，它就是相片雞心頸鍊的前身。

從十二世紀到十六、十七世紀，愛情開始發揚。那本《宮中情愛寶典》將一切愛情的細節都一一娓娓道來。這本寶典由三書合成，其中最富趣味的是第二書第二章，它告訴人們愛情會在時間裡耗損，因此必須用各種方法使其保有動力，例如製造一些會增加思念的小別離，設法讓情人吃醋，兩人一起駕車同遊，而最重要的則是要用不斷的甜言蜜語來相互灌溉和取悅。用甜言蜜語來相互灌溉取悅，也就是情書的本質。

情書是有用的贅語冗辭

北伊利諾大學的克恩（Step hen Kern）在《愛情的文化》裡說到：情人在某些時候總必須說話。而說話有兩種，一種是「眞的言說」，我用自己的語言講自己，而在體貼的交換中向別人開放。另一種則是「不眞的言說」，它是一種囈語式的喃喃，有著無意識的喋喋不休，沒有營養的閒聊就是「不眞的言說」的一種。克恩說，所有的情話和情書「乃是一連串敞開及關閉間的選擇，它既有眞情的原創力，又是喋喋不休的囈語」。

或許這也就是一切的情人也都是詩人的眞正原因。愛情從邂逅、愛慕，到斗膽的講出第一句話和寄出第一封信，每一步驟都是一番驚濤駭浪。情書已被千萬人寫了數千年，一切的語言及語言的揉捏和想像已告技窮，我還可能有甚麼新意。羅蘭巴特在《戀人絮語》裡就說過：情書就像音樂的主題變奏一樣，無論透過隱喻轉喻，它不變的就是「我愛你」或「我想你」這幾個字。要在不變的主題中講出自己的癡癡夢想，它多少都必須有一些不是創意的創意；但情書畢竟不是詩的競賽，它必須保有高貴的乞憐的姿態，讓對方覺得「他好可憐又好可愛」，而囈語式的喋喋，就彷彿失昏了的頭腦，讓人感到可愛的癡傻。愛情原本就是癡傻的人間戲劇，它就在既眞又假的愛情

愛情原本就是痴傻的人間戲劇，
它就在既眞又假的愛情言說裡。

言說裡。詩人之目的要在語言困窘處創造新語言，情人則要在情話說盡時仍有話可說。情書要乞憐，但不卑下，要秀出感情來，但卻不能做作；情書要在冗言贅語的夾纏裡鑲嵌進「眞的言說」。文藝復興時代，歐洲的男男女女也開始了一種直到如今仍然被人不斷重複的愛情遊戲，或者相約，或者單獨，在樹皮上刻下情人的名字。情書就像在樹皮上刻字，不讓它隨風而逝。

「情書體制」從中古騎士宮廷開始，在十五及十六世紀這個文字文明快速躍升的時刻急速上颺。那個時候的絕大多數人都首次享用到文字魅力的滋味，相信文字書信眞的有承載感情的能力。情書、情詩、浪漫主義的愛情與成長小說，都是這個體制的一環。情書在挑動和催逼著愛情時，也催逼著感情更自由的新世界。

恰恰好而又必要的嫉妒

情書時代，圍繞著情書而有了各式各樣的戲碼。其中，最喜劇和最悲劇的是這兩個故事，其一是《費加洛婚禮》，其二是《大鼻子情聖》。

莫札特的〈費加洛婚禮〉，講一個花心的伯爵，他冷落伯爵夫人而到處拈花惹草，最後衆人設計之下，讓他發現伯爵夫人的情書，引發妒意，最後則陰錯陽差，捉姦未成，反而使得伯爵羞愧，兩人重歸於好。這種情書的謀略，其實從中古到近代均一直不斷。用假情書中傷離間的，眞情書被發現而拆穿婚外韻事的，不但在十八及十九世紀的藝術作品裡常見，由《私人生活史》的紀錄也可見其經常發生。文藝復興時代開始，人們，尤其是女性，除了在情書裡宣述愛情外，也在日記這另外一種新文體裡自我觀照，但一不湊巧，兩者的任何一種都會成爲不貞的證物。

而羅士坦（Edmond Rostand）所著的《大鼻子情聖》（Cyrano de Bergerac）則是另一種故事了。克理士丁長得英俊漂亮，但不識之無，更乏才情。希拉諾則文采斐然，但卻有個不好看的大鼻子，他們都仰慕美女羅莎妮，希拉諾自認無望，竟將愛情昇華，寧願當克里士丁的情書槍手。最後，希拉諾在被仇敵狙殺，瀕死之際才向羅莎妮說出事實與眞情，並死在終極情人的臂腕間，對希拉諾而言，情書已成了一種沒有生命的死物，他將自己當成了情書，奉獻給了愛情女神。在所有的情書傳奇裡，希拉諾無疑當得上情之聖者的稱號，他克服了獲得，以及獲得不到因而嫉妒等最艱難的愛情考驗。

情到此時已茫然

只是，情書再怎麼具有召喚愛情的魅力，它也有失誤的時候，愛情經常會幻化成空，徒留情書在人間。而在愛情世界裡，並非一切都是溫馨的美感，更多的可能是相

情書就像在樹皮上刻字，
不讓它隨風而逝。

互的關閉、麻木，甚或感情上的較量與搏鬥。

也正因此，無論讀音樂家馬勒的傳記，或聽他那悲憐纏綿的音樂，尤其是那幾個著名的慢板，心裡總是不太能平衡。

馬勒靈魂纖弱但音樂偉大。他到晚年娶美女艾爾瑪（Alma Hahler 1879-1964）。馬勒愛她至深，留下許多情書。他到各地旅行指揮，無論在走動的時候或休息的時候，都總是會想到艾爾瑪。但一九一一年馬勒逝世，艾爾瑪立即又和名畫家科克希卡（Oskar Kokoschka）同住。科克希卡在一九一四和一五年間畫了多張名畫，可以看出艾爾瑪帶給他的痛苦，其中最著名的一幅題爲〈暴風雨〉；他自己是畫中人，夜晚摟著艾爾瑪，而四周全是急急滾動的渦漩雲團，他眼如銅鈴，未敢入眠。因爲他和艾爾瑪的愛情已成夢魘，她拿掉他的胎兒，要求離去。艾爾瑪是個愛情上的強者，馬勒及科克希卡完全不能匹配。馬勒的癡情和情書，科克希卡充滿受到傷害的日記，都只徒增人們的唏噓。情書的纏綿之後，誰知道還有著這些令人茫然的故事。

情書有情書之後的茫然，片段的情書裡折射不出愛情全程裡另外一些傷感。另外，在像柯列提的《浪蕩子》（The Vagabound），伍爾芙的《航向燈塔》等名著小說裡，我們還看到諸如情書被冷漠回應、愛情的言說變成彷彿敵對戰爭一樣的場景，

《航向燈塔》裡拉莫賽夫婦那一場誰也不肯說「我愛你」的對話，就是個時常被舉出來的例子。一切的情書和愛情言說，都只是祈使句的上段，它不成爲句子，當沒有人寫出下一句，那個上句就只好笨拙的在那裡永遠的罰站，而被罰站的情書已經太多。

雷惟伊（Briton Riviere）在一八八七年有過一幅題爲〈被棄男子〉（Jilted）的畫，一個年輕男子右手捏著一封揉縐的斷絕關係情書，沮喪的低頭坐著，只有一隻小狗不更事在那裡攀著主人的手臂。愛情的世界並非都是快樂，當失去愛情，誰知道會是多大的沮喪與折磨。

但這個時代，談甚麼沮喪，但願衆生都能在情書世界裡分享到恩賜！

愛情的世界並非都是快樂，
當失去愛情，誰知道會是多大的沮喪與折磨。

卷 5 靈魂的重量

　　我們所作的一切都在黑暗中
單獨而未得到時間的幫助
　我們懷疑這究竟是否
　　　為一場歡迎儀式做準備
或祇是永遠的訣別！

——塞爾維亞詩人波巴

一個高貴老兵之死

幾年前，「全景映像」的吳乙峰拍攝過一部老兵的紀錄片，當時在電影資料館首映。那部紀錄片讓我看得溼了眼眶，因爲裡面有個老兵叫王剛。那天，陳映真也去了，中場的休息時間，我們談著談著，就談到了王剛，兩個人都有點唏噓的感傷。

王剛不是個什麼人物，在紀錄片裡，他只不過是衆多被記錄的老兵之一。但他和其他老兵相比，卻是如此不同。他垂垂已老的顏面，儘管清癯，但仍可以看得出昔日的雍容。他穿得雖舊，但卻清爽。他一點也不粗俗聒噪，說起話來也緩慢、清晰、斯文，但卻有力。

看了紀錄片裡的王剛，才體會出什麼叫做時代的播弄。如果王剛不是生在他的那個時代，像他那樣的人，或許早已出將入相。天生而有高貴的氣質與談吐，在這個世界上早已難得一見，我卻在一個落魄的老兵身上看到。吳乙峰說，王剛是抗日戰爭後期入伍的青年軍，在孫立人手下當過尉官，孫立人出事後他們很快就被遣散，而後就這樣身不由己的蹉跎著餘生，一直到成爲紀錄片裡的老兵角色。

前幾天，又再遇到吳乙峰，他劈頭就說：「王剛已經死了。」聽了這個消息，雖然並不意外，但心情仍舊壞了好久。

這就是王剛的故事，亂世裡的一個小插曲。它讓人自然而然的想到時代、想到命運。在動亂的時代裡，人不由己，一個莫名其妙的事故、一顆無法預測的子彈，很可能就結束了一個生命或改變了許多人的命運，而他們若活在另外的時代，誰也不知道會多麼燦爛。

後來，有次讀到義大利作家卡爾維諾有關生命如樹的譬喻，這種感覺更深了。我們都長在命運樹上，有的直直而順利地一路長上去，有的則不幸長到了側枝上，還有更多長到死芽上，甚至都沒有開始，就已結束。但不管長的命運如何，我們終究都是在同一株命運樹上。當人們走過街頭，看著路邊的乞丐，或許可以想一下，那個乞丐之所以不是我，我和乞丐之間的差別，其實只不過是兩個不同枝幹的距離而已。生命如樹的譬喻裡有惜福和悲憐的涵義。

聽到王剛已死的消息，再一次想到紀錄片裡那個高貴的老兵以及他們那一代許多人失掉的人生。英國小說家弗班克（Ronold Firbank,1886-1926）也是個不幸的人，他曾說過：「世界被料理得如此不堪，讓我們不知向誰抱怨。」弗班克的話，可以作爲許多人的墓誌銘。

世界被料理得如此不堪，
讓我們不知向誰抱怨。

一束康乃馨不夠

一切在蜜月後結束
香甜的橙花束，情書
孩子氣的哭哭啼啼。

而今匍匐在主人腳下
先是他內房的寵愛
要或不要都隨他的高興。
接著成爲冠他名字孩子的母親
不斷地哀歎
在吊著尿布的曬衣繩邊；
溼淋淋的心

只在熨燙床單毛巾始能平靜。
習慣於咆哮和羞辱
爲了伸討麵包屑的手。
陷落的女子，卑憐的幽靈
還有偏頭痛、靜脈瘤及糖尿病。

一個青春的嬌嬌女
嫁給她第一個男朋友
當她老去時聽著遙遠的生命之歌
在她被稱讚爲賢妻的地方。

這首詩的題目爲〈忠誠的主婦〉，出自曾擔任尼加拉瓜文化部副部長的女詩人黛西•札莫娜（Daisy Zamora）。儘管我們已不再用曬衣繩來晾尿片，但這首詩仍具體而微地說出了家庭主婦的普遍悲哀。她們失去了太多也可以擁有的生活，但這些都在以家庭爲名的犧牲中失去。或許這首詩寫得太激烈了一點，但對做丈夫及子女的，卻不能沒有歉疚和感謝，尤其是在母親節的這個時候。

人們的社會化愈來愈問題嚴重，
主婦和母親甚至還要替社會背負起責任。

近代替主婦和母親講話的已愈來愈多，不只是因爲她們的劬勞，而是她們的無償付出經常被粗魯的忽視。近年來，人們的社會化愈來愈問題嚴重，主婦和母親甚至還要替社會背負起責任。許多精神分析學家並以「母親－兒子」和「母親－女兒」的緊張關係來替人們的心理扭曲作註腳。許多人還將自己的焦慮和挫折歸諸母親。世界不能這麼不公平，主婦和母親不能因爲任勞任怨和緘默，而承受她們不應承擔的責任。每一個好人和傑出的人，背後都有母親的影子，每個壞人和失敗的人，他們的背後則是壞了的社會。

母親節，讀著〈忠誠的主婦〉，想著她們也曾年輕美麗的過去，想著她們的失去，一束康乃馨其實是不夠的！

心，也隨之而震

出國開會八天，雖然去的地方並未發生地震，但仍有兩個晚上被地震的感覺驚醒。十月十八日回來後，凌晨在書桌前做功課，驀然間又是三次有感餘震，整個心情被震得沮喪無比，冷汗亦涔涔而下。我和許多人一樣，都得了「地震驚嚇症」！

所有的恐怖事務，當它正發生時，由於造成的驚嚇是如此鉅大且無法抵擋，因而人們遂只能在它所造成的呆滯與茫然裡默然以對，並掙扎著要存活下來。過度的驚嚇使人麻痺，並忘了痛苦。然而，當麻痺漸漸褪去，並回過神來，那被延遲的痛苦遂告開始出現，並以更大的強度轟擊著人們的心靈。研究驚嚇與恐怖的學者早已指出，恐怖的驚嚇是第一個地獄，而驚嚇後的延遲效果則是第二個地獄，通常是第二個地獄更讓人難以忍受。

也正因此，英國詩人柯立芝（Samuel T. Coleridge, 1722-1834）遂在他的名作〈古舟子詠〉，如此描寫那個海難劫後的船員：

許多殘存者能夠熬過當時的恐怖，
但就是熬不過痛苦的回憶。

而後，在一個不確定的時刻
那種痛苦重臨，
當我的恐怖故事被再次提及
內心遂開始燃燒。

「後恐怖之痛苦」大過恐怖本身，近代有過太多例子。第一次大戰時，兩軍以壕溝對峙，彼此以綿密如雨的砲彈相互轟擊，士兵躲在壕溝裡驚恐戰慄，一次大戰後，兩邊的戰士有許多人因而出現「砲彈驚嚇症」，尤有甚者，有人因受不了這種恐懼而輕生。過度驚嚇所造成的心靈傷害，還有「集中營驚嚇症」和越戰結束後所出現的「後創傷症候群」等。許多殘存者能夠熬過當時的恐怖，但就是熬不過痛苦的回憶。

而「地震驚嚇症」亦然。許多大地震的劫後餘生者，在地震過後一段時間，除了有各種心理創傷的症狀外，最嚴重的乃是會有輕生的念頭。痛定思痛，痛苦會變得更難忍受。

「地震驚嚇症」，它使人對自己更加懷疑，更容易焦慮和精神緊張，甚至還懷疑到生命的意義。地震之後，許多人聞震色變，夜裡也睡不安穩，這是症狀裡最輕微的一種。許多失去了親人及家園的人，他們的人生已遭嚴重摧毀，地震的餘痛和未來的茫然，他們往後的路要如何走下去？

因此，最近已開始聞說出現了劫後餘生者的自殺；還有一個小孩，全家都死了，只他一人，帶著全部家人的死亡證明書，失魂的到處流浪。這樣的事情遂格外讓人感覺難過。地震不只摧毀了許多人的生命財產，它也摧殘了許多人的心靈！

當聲音變成恐懼

東京的皇城之外，是一大片細碎砂礫廣場，人走在上面，不論步伐是多麼的紓緩或疾速，都會大聲地沙沙作響。

據說，這是防備忍者刺客的一種設計。忍者緊衣窄靠，特製的鞋子能行走如貓，但一遇到這片砂礫，所有的窸窸窣窣，都變成了沙沙的喧譁。

這時候，就想到了紀元前五世紀希臘悲劇家索福克里士所說的：「人們恐懼一切沙沙和颯颯作響的事物。」無論沙沙或颯颯，都是不明來歷的聲響，它可能是疾行的腳步，可能是逐漸欺近的衣裾，或是在暗處窺伺者被壓低的呼吸。也正因此，所有的恐怖小說或電影，都會從聲音開始。讓不明的聲音逐漸接近，有聲無影，聲音裡躲藏著不安的懸疑。

由東京皇城外的那一片砂礫廣場，就回想起義大利作家卡爾維諾寫過的一篇小說《國王傾聽》，那是描寫聲音的恐怖之經典作品。一個國王在皇城裡，整個皇城似乎都變成了一個大耳朵，將所有的聲音都集中到了皇城中心點的皇帝身上。皇帝端坐在那裡，他不能到處去看，只能靜靜地聽，外面的聲音滲進壁間牆角，變成無法被解讀的一種聲音。聲音使他孤單，他也在孤單中更加畏懼聲音。這是一種權力與聲音的辯證，我去過東京幾次，每到皇城，就會想到一個畫面：遙遠的古代夜晚，東京在沈睡，而皇城裡的人則豎著耳朵，等待著他們並不期望的沙沙聲響。夜晚之所以令人恐懼，乃是它讓一切聲音都不再能被辨識，縱使風吹落葉的瑟聲裡，似乎也都藏著詭譎和陰謀。

這些對聲音的恐懼，說的其實是心盲；而相對的則是目盲。庫希斯妥（Stephen Kausisto）是瑞典人，但也算美國人。他早產大約五十天，因而視網膜發育不全，再加上長期在保溫箱裡，眼球被氧化，因而雖未全盲，但已和全盲相差無幾。他現在是頗具知名度的作家，剛出版準自傳體的《盲者運星》（Planet of the Blind）。這是本動人的著作，但眞正動人的部分並非他的上進與謳歌生命，而是他寫那些不能辨識的聲音以及碎片般殘餘影像的恐懼和威脅。聲音在身邊嘩嘩流過，盲者在不可知的恐懼中浮沈。當聲音彷彿都有了敵意，這是多麼可怕但卻需要人們伸援的人生。盲者所經歷的，是一種對空曠及幽閉的恐懼。我們所遭遇到的許多害怕，完全不能與之相比。

心盲與目盲都對聲音恐懼，而以心盲爲最。皇城的砂礫廣場訴說著這樣的故事。

恐懼，
乃是它讓一切聲音都不再能被辨識。

又見隱士崇拜

最近這幾年，世道愈變愈極端。庸俗和縱慾的部分，固然更加不可思議；絕慾靈修的也同樣逐漸成爲一種代替性的異類價値。於是，遂有了新的隱士崇拜。有兩個哥倫比亞大學畢業的秀異隱士默頓（Thomas Merton）及萊克思（Robert Lax）成了隱士中的名人。

默頓是個當代奇人，一生追求絕對的隱居，並發願禁食懺悔和堅守緘默，但他卻用筆說話，寫過三百多篇文章和三十七本書。似乎還上過《時代雜誌》的封面。他已死了三十年，但那厚厚好幾大册的日記，至今仍不斷在重印。我沒有辦法讀那些日記，只能浮光掠影地翻看一下導論。他大槪是當代談論孤獨與靈性再造最深刻的一個人。

默頓論孤獨與靈性再造極深，但他的不斷出名，卻也惹人非議。他皈依後，一心一意要找一個與世隔絕的處所隱居，這個教會找不到，就找另一個教會，最後甚至還到印度教和回教裡去找。因而有一個重量級人士這樣諷刺道：「他要當隱士乃是一種病態。他眞正想的是要到熱鬧的紐約時報廣場隱居，並用大寫字母標明自己是個隱士！」

默頓是奇人，他的同事萊克思也不平凡。萊克思隱居前在《紐約客》雜誌當過電影評論人，後來進好萊塢做編劇，頓悟後出家當隱士，寫過許多詩集，算是名氣不小的詩人。他選擇的隱居地點是希臘的一個小離島巴特摩斯（Patmos），這裡一千多年來就一直是個隱士島。

只是，這個千餘年來聞名於世的隱士島，現在早已失去它遺世獨立的寧靜。以前，島上有座聖若望修道院，僧侶們在島上的山坡鑿洞爲居，或者自行搭造石板屋，每個人自行靈修互不通聞，只在彌撒日返回，禮拜後又回到自己的洞窟。但漸漸的，島上有了別的住戶，婦道人家遇到疑難問題，總會到各個洞窟要求僧侶指點。最近十幾年來，隱士崇拜漸成風氣，於是尋幽探奇的朝聖觀光客漸漸多了，馬達舢板、水上摩托車，使得這個島不再安靜，洞窟裡有些古老的宗教飾物和經書，由於早已是有價的骨董，因而常常被人順手牽羊。觀光客來，隱士們走，歐洲最古老的隱士島終告淪陷。一九九六年的書籍《隱士列傳》裡說，萊克思似乎已成了該島最後一名隱士。

大家讀隱士書是爲了什麼？
是中產階級新的流行？
或者眞的是替自己的心靈保存一塊乾淨的田。

因此，這眞是最大的矛盾，隱士書籍愈來愈暢銷，但可堪歸隱的地方卻一個個相繼陷落，成爲觀光遺蹟。大家讀隱士書是爲了什麼？是中產階級新的流行？或者眞的是替自己的心靈保存一塊乾淨的田，留待以後？

「餓」的悲劇懲罰

薩曼莎・張（Lan Samantha Chang）是近年來崛起的華裔美國作家，連續兩度入選《美國年度最佳短篇小說集》，目前正在史丹福大學教寫作。

她的小說極爲陰鬱，幾乎都在寫華人移民沈重的心靈世界，以及因此而造成的家庭衝突。這些移民都有著不堪回首的記憶，但他們卻無法將其遺忘。於是，他們自己在記憶和遺忘間折磨，連帶的讓家庭也因此而被扭曲。最近，薩曼莎・張剛出版第一本小說集，計收中篇小說《餓》，以及另外五個短篇，並以《餓》（Hunger）爲名。這本小說集以該中篇最好，故事爲：

——一個大陸小提琴青年，攜帶著他的琴，跳船偷渡美國，希望尋找新生。他在極強的毅力下深造，但儘管琴藝高超，但文化的差距和缺乏交際手腕，卻使他懷才不遇。於是他遂將自己無法完成的志向，轉嫁到兩個女兒身上。他嚴厲地督促想法完全不同的女兒練琴，這簡直是一種隔代懲罰，用以原諒自己；以致於親情爲之破壞，他的一生活得不快樂，整個家庭的幸福也因之而被犧牲。

〈餓〉是極好的中篇小說，它以傳奇式的題材，講出了中國人家庭裡自古以來即深信不疑的那種「恨鐵不成鋼」的教育方式，英語的「餓」（Hunger）是個非常有意思的雙關字，它可以是普通的「餓」，但更嚴肅的用法裡，所指的則是那種饑饉式的「餓」；由於「餓」，它因而翻轉為「渴望」，這種「渴望」當然形同一種嚴重的焦慮式饑渴。小說裡的父親，為了追求音樂上的成功，搏命以赴地跳船到美國，這是一種「餓」與「渴」，當他不能在自己手中完成願望，遂將這種「餓」與「渴」加倍投射到兩個女兒身上。他的命運誠然可憐，但兩個女兒豈非更加可憐！

讀了薩曼莎•張的〈餓〉，慘惻之餘也忽覺有悟。以前，我們常說「棍棒底下出孝子」，但細心想一想，打罵箠楚式的家庭教育，父母過分的專制裡，誰知道眞正隱藏著的不是許多更複雜的問題：它可能是父母對子女不成功，自己晚年可能失養的焦慮；可能是父母的面子；也可能就像〈餓〉一樣，只不過是一種自我的投射。古代的社會普遍貧窮，「反哺」是家庭倫理的核心，「反哺」也成了父母自我要求並加倍要求子女的動力。它沒有什麼不對，只是到了現代，「反哺」已不再那麼重要，做父親的卻仍要求女兒以成功來「反哺」自己未曾圓滿的心願，這是時空錯亂，而時空錯亂就是悲劇。

「棍棒底下出孝子」也罷，「恨鐵不成鋼」也罷，那種時代都正在過去。現在應該相信的是「兒孫自有兒孫福」。用比較細緻的方式來管教，卻讓子女追求自己的人生，或許才是免於家庭悲劇的更好方法！

出名最重要？

十七世紀時，成名已不能再依靠家世門第，而需仰仗自己的努力。當時的大詩人米爾頓（John Milton）寫過許多詩，都談到出名的問題。他有這樣的詩句：

出名是馬刺，清純心靈因此而起
這是高貴心靈的最後弱點
它拒絕喜樂歡逸，努力著他們的日子。

出名不是長於必朽之土的植株
而是依靠純淨眼神而活並高高播散
作爲審判大神的完美見證。

米爾頓說的是古典時代的出名。它是勞苦的報償，是人在地上行著天上的道理。他很怕「出名」和「榮耀」相混，因而這樣寫道：

榮耀何用，當它不過是出名的光焰
若人們的稱頌不再相配？
當人變成混淆的一窩蜂
一群狂亂的人、提高
庸俗的事務，但卻不值得歌頌？

出名何用？那個時代另一位著名文人鮑斯威爾（James Boswell）說道：「非常確定，我不是偉大的人物。但我對偉大的人物充滿了熾熱的愛，從他們裡面，我找到了榮耀。」

但那樣的時代卻早已難再返回。二十世紀末的出名已換成了另一種型態。出名不再和榮耀相連。不管好名壞名，只要出名就好的價值已淹沒了一切。出名是占據報紙的版面和電視時段，是獲致媒體注意的誇張式表演。當出名已成爲一種魔咒，遂任何東西都可以拿來交換。一個加拿大女畫家安琪拉．瑪修兒在倫敦賣畫兼賣身，並收費讓人偷窺，由於點子狂野詭誕，惹來一陣鎂光燈閃爍，暴得大名。但這樣的出名又怎樣？

這是二十世紀末的出名，是「電視病理學」的延長。它以媒體爲橋梁，出名爲中

有名的人要用更多的表演來讓自己不被忘記，
沒名的人則要創造表演來搶著出名。

心，世界上的一切則都成了道具。當出名成了如此的魔咒，難怪有了這樣的眞人眞事：一個凶手致函美國警察局，問說：「要殺幾個人，才會受到全國媒體的注意？」答案是六個。六個人的性命造就了一個人變態的出名慾望！這些怪胎亂人的名字會留存在某種紀錄裡，電視機智回答也會被提到，但它就像肥皀劇一樣，見證著時代的荒蕪。

出名已成了一種折磨。有名的人要用更多的表演來讓自己不被忘記，沒名的人則要創造表演來搶著出名。在名裡爭逐，也在名裡朽敗，當名成爲一陣風，最後將注定什麼也留不下來！

心的斷層

台灣自古多地震，三百多年來，七級左右的大地震已有二十多起，因此，地震多，地震詩也多。在忐忑不敢眠的夜晚，只有秉燭讀詩。

其中，寫得最沈痛的是新竹的前賢林占梅。林占梅爲新竹仕紳領袖，因捐助和平亂有功，官至布政使銜，官銜之高，僅在巡撫一人之下。清道光二十八年（一八四八年），台灣中南部出現七級大地震，死亡一〇三〇人，房倒一三九九三戶，爲整個清代之最。驚駭之餘，他寫了一首長詩〈地震歌〉，其中有句曰：「從此夜眠心不怡。」此句擲地有聲。受過地震驚嚇的人，將無法再安心入睡。他的這個句子，眞是寫出了此刻台灣大多數人的心聲。

而地震詩寫得最慘的，則是日治初期的嘉義律師賴雨若。他遇到的是一九〇六年的嘉義大地震。根據井出季和太的《台灣治績志》，那次地震的死亡者達一二五八人，房屋倒毀者一〇四〇二棟，爲整個日治時期之最。他寫地震之慘，很可以拿來和

台灣大地震的死難與流離失所，
早已讓人眼睛都紅了。

今日對比：

壓死無棺蓆裹屍，慘同活葬哭妻兒。
傷心萬灶停煙火，不及鷦鷯安一枝。

冷煙疎竹一孤村，訪問親朋半弔魂，
細認眼前舊遊處，頹牆碎瓦跡猶存。

一場大地震，嘉義台南地區死亡一千多人，房屋亦幾皆全毀，死人多得連棺木都不夠用，親人故舊許多都成了亡魂，而自己也無處可依。這時候才察覺到人的悲慘連小鳥都不如。中部幾十萬曠野街邊露宿的人，他們的悽慘情況，不就在這首詩中嗎？

以前，儘管防震防災的科技落後，但當官的對自然災害仍多少都有一些敬畏之心，藉以自我警惕。能夠敬畏警惕者，儘管於事情之補益有限，但總好過麻木得無動於衷。此中道理，光緒年間的台南知府唐贊袞可能說得最爲清楚。光緒十八年（一八九二年），台南府正在上課，忽然地大震，學生們個個嚇得魂搖氣慴，唐贊袞當時在座，有感而寫地震詩一首，有這樣的句子：

世界本由缺陷成，自古斷鼇鼇足脛。
扶輿畢竟誰支撐？賴有青門鼎力爭。

乾坤浩蕩陂竟平，敢忘此日心凌兢。

他的這首詩眞是寫得太托大了一點，由地震的驚嚇（心凌兢），而想到地震乃宇宙乾坤的缺陷與不平所起，因而興起扶輿世界，彌補險陂的襟懷。他當然不可能有如此能耐，但敢與天爭，這不正是官僚知識分子應有的基本態度嗎？

台灣大地震的死難與流離失所，早已讓人眼睛都紅了。百年浩劫，它眞是百年浩劫啊！

台灣的波希米亞人

在音樂家裡，我對捷克的德弗乍克（Antonin Dvořák, 1841–1904）始終有獨特的好感。他既不宏大，也不深邃，但卻親切幽遠。曾經有好長一段時間，伴我度過浮躁的夜晚。

德弗乍克是波希米亞風格的代表。波希米亞早在十四世紀當其他歐洲地區仍極落後的時代，就已建造出璀璨的文明。它以繪畫、雕塑、建築、思想學術以及音樂等取勝。舒伯特的歌曲爲什麼如此好聽？他有個波希米亞媽媽。德弗乍克的各種大型管弦樂作品及室內樂曲讓人迴盪，因爲他是波希米亞人。《生命中不能承受之輕》的作者昆德拉，同時也寫過許多尙未蒐集成書的論文，即一再強調波希米亞的重要。波希米亞的藝術及學術思想是座寶庫，許多後來的事務都在這裡發生。

因此，波希米亞人多半曠達，有點文化人的自鳴高尙、落拓無羈，喜歡淸談，尤其是高難度的頭腦體操。近年來，由於捷克自由化，有一大群作家和學術家到了歐美，許多學科都被他們刺激得一陣波濤起伏。波希米亞人是一種被文化藝術洗禮後的新人種。因此，在十九世紀中葉，法國遂將那種異類的巴黎文化藝術人稱爲「波希米亞」（Bohéme）。它是個專有名詞，指那些在巴黎到處閒逛的年輕知識分子和藝術家。他們沒什麼錢，但卻不赤貧；他們散漫無羈，卻又以格調品味自期，今天的巴黎風情，有許多都是那時的延續。「波希米亞」是一種意圖將日常生活藝術化的風格。

台灣雖然社會發展較爲後進，但到了今天終於也出現了「波希米亞人」。中產之家有許多子女，大學及研究所畢業後都不忙著就業，或者就弄個工作室，打零工爲生。他們對未來沒什麼大企圖，但生活卻也不怎麼馬虎。他們喜歡在咖啡廳或小酒館清談，也喜歡在各展演場所流連串走，有些會做出一些自己高興的藝術創作。正經的老輩們看這些人不怎麼順眼，認爲這是好逸惡勞，不求上進；他們則會頂回去，「什麼叫上進？」

台灣開始有了「波希米亞人」。在這個生活不再像以前那麼艱難的時代，我們已不能再用「努力工作」和「勤奮打拚」來要求他們。當代法國頭牌思想家波底奧（Pierre Bourdien）說過：波希米亞人的出現，經常是一種預告，宣示著另一種更加疏闊自由的生活格調的到來。

波希米亞人的出現，經常是一種預告，
宣示著另一種更加疏闊自由的生活格調的到來。

有個朋友的小孩是個波希米亞人，做父親的氣得十分哀怨，我用上面的道理勸他安心，也告誡波希米亞小孩，要替台灣帶來好的風格，不要在落拓中反而失掉了人生。祝福台灣的波希米亞人！

高塔意象

全世界著名的高塔建築，我差不多都上去過：包括了目前全球第一的馬來西亞「麒麟雙星」，目前全球第三，中國第一的上海大廈，稍早前的「世界第一」芝加哥的希爾士塔，更早的「世界最高」紐約的帝國大廈……等。高塔瞭望，俯看城市，很讓人有登高遠眺，快慰平生的舒放之感。

而說到高塔，就必不能忘記《聖經‧創世紀》裡說的巴別塔故事。當時的人要建造此塔，「塔頂通天，爲要宣揚我們的名」，這是人的自大驕傲，要和上帝共比高。於是，耶和華遂變亂人們的語言，讓人們無法再團結做事。最後，塔未造成，而人們亦因而散落四方，由於巴別塔的故事，塔遂成了驕傲的象徵，人類也因爲驕傲而必須付出代價。

這就是塔的兩面性，也是人們登高望遠，在悠悠心悅裡難掩愴然之感的起源。我每次上到世界級的高樓，就都有如此的雙重感受；一方面爲人類的成就心儀感佩；另方面則又替高樓下隱藏著自大驕傲焦憂。被自大驕傲塑造而成的高樓繁華，究竟能支撐多久？

愛倫坡（Edgar Allen Poe, 1809-1849）寫過長詩〈海中城〉講的是《聖經》裡墮落之城蛾摩拉〈Gomorrah〉的故事，一片憂愁之水推砌著驕傲的高塔，而死亡則在這裡爲它自己準備著寶座。愛倫坡的詩裡有兩行最讓人動容：

從城裡驕傲高塔之頂
死亡以巨大的眼俯視著衆生。

沒有永遠的高塔，如同不可能有永遠的繁華，但儘管塔起塔落，由於塔能高高聳起，在地平面上宣揚著人們的名號和成就，因而人們總是前仆後繼的要起大廈，建高樓。美國詩人麥克萊希（Archibald Macleish）曾寫過一本詩集談塔，全書都在說塔之意象，其中有一段如此說道：

儘管地上的繁榮燦爛
攸爾跌墜成爲塵土，
而鋤犁與刀劍，盛名和珍寶
也和黑泥一起腐朽，

但偉大的夢想，仍不死亡，仍未誕生

在人們心裡鼓盪，

如同星辰，神祕，清晨

總是永遠都再度來到。

愛倫坡的詩句，和麥克萊希相互對比，說的其實也就是塔的命運的故事。人們在造塔中榮耀並肯定自己，但也在高塔的影像裡自大驕傲，甚至腐敗墮落。寫《白鯨記》的赫曼・梅爾爲爾（Herman Melville）在短篇故事集裡有一篇〈鐘塔〉的故事。寫文藝復興時，義大利巴那多拉地方造塔的故事。當地人好大喜功，驕傲的要造最高塔，最後是塔雖建成，一週年後即告崩塌，梅爾維爾寫道：「這是驕傲的代價。」他的故事似乎是在提醒世人：當塔樓愈來愈高，或許人們反而更應該愈來愈謙卑吧！

樓很高，不要隨便往下跳

德國的狂飆時代，著名的地理暨自然哲學家佛斯特（Georg Forster），他一方面由於浪漫情懷所繫，另方面則爲了彌補大半生都在外國的不安，因而在政治上狂熱無比，成了民粹雅克賓領袖。他死的時候，歌德寫了一首諷刺詩，其中有句曰：

啊哈，當群衆呼叫著自由、平等
我就想快快跟隨
因爲走樓梯顯得太慢
我就乾脆從屋頂上跳上來

佛斯特是一種類型。可能是近代最偉大詩人之一的霍德琳（Friedrich Holderlin）則是反面的類型。他摯愛自己的國家，愛到心裡成傷，因而對狂飆的負面因素憂懼無比。他有過這樣的句子：

逃離政治的人要如何關心永恆的祖國

當他的同胞如癲似狂？
當惡靈已掌控了政治
而我卻想做個眞正的好公民！

霍德琳愛國且又關心政治，但政治的惡兆卻使他束手無策，於是他遂寫了百年名詩〈致德意志詩〉，這首詩後來被不斷反覆引用。詩中有如下金句：

不要用馬鞭馬刺和孩童開玩笑
當他們騎著木馬，認爲自己勇敢而偉大。
我的同胞啊，當你們
當你們所做的努力和思想仍極匱乏。
或者，當閃電由雲端霹靂而下
是否能因深思而做出事業？
是否能讓書裡的智慧依然存在？

霍德琳的這首詩之所以傑出，乃是它碰觸到了人類的一種基本矛盾：政治通常是道選擇題，不是這邊，就是那邊。在某些時代，卻經常兩邊都不是正解，遂使得必須做選擇的人左右爲難。他的〈致德意志詩〉眞正的對象是德國知識分子，他希望知識分子在變局中多一點反省與冷靜，可是狂飆的時代當知識分子也都從樓上跳了下來，趕搭政治巴士，他的詩遂只得留給未來的人閱讀，並成爲一種歷史的見證。

多年前，美國西北大學召開了一次重要的討論會，主題是「焦慮時代的許諾」，下設一個分組，討論項目是「創造的心靈」，由當代女政治學家漢娜‧艾倫特（Hannah Arendt）召集，菁英群集。會中發生了一次口角，知名學者休斯（H. Stuart Hughes）指責諾貝爾獎小說家索貝婁不關心政治，索貝婁辯說他只想好好寫小說，最後連召集人自己也加入了戰團。一談到政治，那麼多大牌名人都開始抓狂，何況我們這些凡夫俗子。

應當關心政治，做個參與的好公民，但仍應多一點長遠的觀點，不隨便將某個人當神來崇拜。對政治的許諾不能沒有距離來制衡。樓很高，不要隨便的跳下來！

一個塞爾維亞詩人的告白

塞爾維亞詩人華斯可波巴（Vasko Popa, 1922-1991）有一首詩，名爲〈他〉：

有些人撕咬別人
手臂或腳腿或任何其他

撕咬在利齒之間
而後儘快逃逸
將它埋於泥土中

其他人則四面八方奔跑
嗅尋又嗅尋
翻遍所有的大地

只要一有過人與人之間的衝突，
它就注定進入了一個只會愈鬧愈大的循環圈。

如果幸而找到他們的手臂
或腳腿或任何其他
則開始輪到他們撕咬

這個遊戲帶勁地一直繼續
只要有手臂
只要有腳腿
只要有任何其他

這首詩眞是一針見血地說出了所謂的「巴爾幹文化」，或任何其他類似的睚眥必報的文化。只要一有過人與人之間的衝突，它就注定進入了一個只會愈鬧愈大的循環圈。今日你咬我，明日我就連本帶利咬回來，這是場大家都咬得義正辭嚴的遊戲，最後是每個人都斷腿斷臂。看著今天發生在科索伏的事，更不得不佩服波巴的先見之明。

波巴是南斯拉夫當代首要詩人。他的詩裡多悲憐式的反諷。他在一首〈準備歡迎儀式〉裡寫道：人們做盡一切自以爲是，爲天堂做準備的事，但卻未體會到人類在時間中進步的軌跡，則最後必是徒勞。詩裡說道：

我們所做的一切都在黑暗中
單獨而未得到時間的幫助

我們懷疑這究竟是否
爲一場歡迎儀式做準備
或只是永遠的訣別！

而眞正的答案仍在人們自己。他有另一首〈從我的臉抹除你的臉〉：

我從我的臉上抹掉你的臉
從我的影子切除你的影子

削平在你裡面的山巒
將你的平原變成丘陵

設定你的時季和我相異
從你那裡找到世界末日

遮掩掉我與你有關的生命軌跡
我那固執而不可能的道路

而今你只要發現我就已足夠！

卷 6 時間之末

時間是什麼？
我本來似乎還知道；
但一被問及，
就反而什麼都不知道了。
——神學之父聖奧古斯丁

歷史不援救，也不寬恕

英美前輩桂冠詩人奧登，經歷過政治由理想到幻滅的心路歷程，留下這樣的詩句：

「一切皆在強硬束縛下沈默
被軍事的威能和權謀的目的
道德的良善，創造的潛能
諸般功能和高度的屬性
一切文明行爲，均臣服於權力。」
「星辰寂滅，衆生隱退
吾等見棄，長日將盡；
被打敗的歷史
在驚噫中不會援救也不寬恕。」

奧登的詩句是權力和歷史的最佳見證。他的悲傷在於：當權力主宰了一切的時候，所有的事務就會往最壞也最極端的方向移動，不到血流漂杵，不會回頭。但到這時，一切都已是百年身。

類似於奧登這種境界的詩，在近代的歐洲可謂車載斗量，也正因警惕到當權力可以摧毀一切，而「被打敗的歷史，在驚噫中不會援救也不寬恕」，人們對權力的危險，對人治的恐懼，以及對各種虛構的神聖性遂格外有所警惕。戴高樂乃是法國近代少有的英雄，1969年企圖擴權，立即被百姓驅逐；尼克森當年選舉贏得山崩式的勝利，水門一案也被拉下台來。進步國家與落後國家的分野，在於進步國家能從古往今來之中領受到教訓，不讓一切事務發展到不堪聞問時才知停手；而落後國家則是知識分子、政客官僚以及大衆都缺乏膽識和覺悟，不到大難臨頭就不會回頭。進步與落後的差距，在於進步國家會把極端政治的光譜縮減到很窄的範圍內，落後國家則否。

英國另一詩人布萊克說過：「當我們知道愈多，就會發現今日的理性不應當是它應有的模樣。」他的意思是，人類經常被自己的盲點所感，以至於不能做出應做的更好選擇，並經常因此而悔恨。看著台灣政治的亂局日重，凡是對「不會援救也不寬恕」的歷史知道警覺的人，應當到了奮起和有所作爲的時候！

世紀末的服裝歡樂美學

服裝既是實用的穿著，同時也是一種符號，它濃縮著人們的認同，也鏤刻著時代的印痕，因此，服裝也是一種語言，訴說著種種故事。

而今一九九九才到，最能掌握時代冷暖的服裝，卻早已做好了準備。無論巴黎、米蘭，或紐約、倫敦，各地的服裝秀，都不約而同地為九九年塑造出影像。它以狂想和派對為兩大主軸。

在狂想方面，九八與九九之交的氣球繞地球成為熱門新聞。無論是此氣或彼汽，它都是一種狂想，並讓服裝也想到了氣球的影像。於是上衣襯上氣墊，大大的衣領充進氣，讓它看起來顯得古古怪怪，遂成了狂想的基調。歐洲最滑稽的莫若中古的小丑及十六世紀弄臣的造型，它的衣衫下襬都剪成參差的三角形，顏色呈棋盤塊狀，並有奇特的絲質小高帽和飾邊。滑稽可愛，像是從古代跳出來的充氣娃娃，這種造型及其背後的心態，顯示出了對九九這個千年來及世紀末的促狹式歡樂。

而在派對上，則是將服裝設計成好像是要去參加一場輕鬆派對的模樣，輕鬆的泡泡紗，瀑布褶的墜飾、蝴蝶結、篷篷裙等成了主調。縱使看起來很家常的服裝，也都會在肩袖上做出復古式的襞襟。九八年就已出現的手腕飾帶肯定將會更加流行——它是在腕鐲上繫以各種色彩的絲帶，可以平添些許派對氣氛。而既以派對精神爲主，整體的顏色當然也由黑、褐、赭、紫等，變成了紅、天藍、薄荷綠、鵝毛黃，讓它顯得更加可愛輕鬆。

這似乎就是世紀末的服飾美學。頹廢及故作慵懶倦怠的那種流行已漸漸過去，苦中作樂及等待希望則儼然成了新的時代氣氛。滑稽可愛是苦中作樂，而輕鬆如等待去參加一場派對，則彷彿是等待希望。中古歐洲嘉年華會裡，小丑是眞正的主角，他以一種顛倒過來的方式扮演帝王或封建城主；因而小丑的服裝均被刻意製作。它有搶眼的喜感，並必須表現出離經叛道的突兀。而宮廷的弄臣亦然，由圖片及歌劇的弄臣服裝，可以看出它必須有那種狎暱的韻味。當這些服裝元素進入世紀末的服裝日程表，不正顯示出有點自娛娛人的味道？而它和輕鬆如趕赴一場派對的服裝相比，應屬同調，只是一個有點搞怪，另一個比較正經。它們都是歡樂與可愛。

或許，無論千年或世紀末，它最終極的意義就是歡樂。「末」是「終點」，是「結束」，它嚇人已嚇得很久了，而今人們已不願繼續被驚嚇，遂有了歡樂的等待。發明出九九的新衣服，或許就是爲二○○○年開始的碰杯而用的吧！

當這些服裝元素進入世紀末的服裝日程表，
不正顯示出有點自娛娛人的味道？

美爲何會遲到？

前代思想家羅文薩（Leo Lowenthal）寫過一本小書《文學、通俗文化及社會》，其中提出了一種很獨特的美學見解。

他說，當一種事務，人們生存在其中時，通常都不會察覺出它的美，只當生存條件改變，回過頭來，該事務的美始可能被發現。他特地以山爲例，古代的山林是畏懼悚怖的象徵，西方差不多到了十八世紀，人們已能充分的征服自然，山林之美才被發現。巍峨不再讓人恐怖，它已蛻變爲一種壯美；巉巖峭壁也不再令人憂心忡忡，反而變成考驗勇氣的試煉。到了這時候，假山假水的花園已不再誘人，波瀾壯闊的河川，崇岫疊嶂的群山翻轉成人們的最愛。

羅文薩的理論說明了一件事，那就是一切的自然之美總是遲到。它們總是要到了消失的邊緣，才會隨著人們心靈的改變而被記起。山林之美如是，原住民文化之美如是，海洋之美亦如是。美的遲到，眞正反映出來的，乃是人們美的意識之遲到。

而我自己就是個例子。早年因爲讀書打工的關係，我幾乎走遍台灣各處山林，許多時候還要一把掃刀披荊斬棘，那時的大山大水一點也不感覺美麗，只覺得是窮鄉僻壤。那時的南橫只有幾段石子路，風塵僕僕，也不讓人感奮。那是個城市價值高於一切的時代，山林郊野是落後的象徵。

近年來，每逢春節假期，我總是會到各地山林重走，今年走的是南橫。睽違許久，早年的記憶幾乎已完全消失。一路行來，大山大谷。斷巖競聳、雲峰相連，古木疊綠、碧嶂森然。而往下看，則是林壑深深，絕壁孤危。一片壯美之景象。南橫是台灣僅存不多的乾淨土。

這幾年重走山林，發現去的人已愈來愈多了，多到每逢假期，山林也變成了城市。這是意識的倒轉，它已不再是落後的窮鄉僻壤，而變成每個人必需的鄉愁，人們都企圖透過重走山林，找回那不可能找回的過去。而就在這樣的尋找鄉愁中，山林的垃圾也就愈來愈多了。

由羅文薩的理論，想到一切即將消失的事務會翻轉成美感，這是自然的詭計，也是時間的詭計。不禁讓人喟然而歎。所有的這一切，關鍵仍在於人的意識。當我們的意識有了偏差，就不能完整地看一切事務，這時候，美才會遲到。有些雖然遲到，但

美的遲到，眞正反映出來的，乃是人們美的意識之遲到。
當我們的意識有了偏差，就不能完整地看一切事務，
這時候，美才會遲到。

仍可彌補，但另外的則可能眞的就永遠消失了。東部的原住民文化不就差不多是這樣的命運嗎？

美會遲到，有太多價值也都會遲到。爲了不讓新價值遲到，往後我們眞該走得更早、更快一點了！

經典與世紀末急躁

西方的神學之父聖奧古斯丁說過：「時間是什麼？我本來似乎還知道；但一被問及，就反而什麼都不知道了。」

我們並不確切知道時間是什麼，因爲它有太多的方法來定義，但這並不妨礙到每個人都能感覺到的時間壓力。它是一種催逼，在額頭愈來愈增的皺紋裡，在對過去的戀棧及對未來的惶恐裡。於是，每當時間到了一個斷代，人們的焦慮和急躁就更深了。

世紀之末是個大斷代，因而也就有了大急躁，九九年底前的日子裡，幾乎所有的讀書人都急著要替這個世紀做出蓋棺論定的定義。在西方，《二十世紀百大哲學家》、《當代五十大思想家》之類的書籍都早已陸續出現；而諸如「二十世紀一百本重要小說」、「二十世紀百大華文小說」之類的評選也都已紛紛宣告。

所有的這些現象，所透露出來的共同特徵就是急躁。人們急躁地要替這個時代做

遺忘和記得之間，
才是經典與非經典的界線，
而那是此刻的我們完全無法預知的開放的未來。

出定義，俾藉著這樣的定義而影響未來。急躁讓人草率，急躁也使人粗魯，於是遂出現了台灣文學「經典」之爭這種令人遺憾的茶壺風暴。被列名「百大」的法國思想家波底奧（Pierre Bourdieu）說過，有關「經典」之爭，乃是一種「神聖化的競爭」（competition for consecration），不同的人群都企圖把自己相信的著作變成神聖的符號，因而這種競爭既涉及信念，也涉及權力，並難免惡顏相向。文化藝術居然鬧到這樣不堪的程度，寧不使人怨歎！

不過，這種類型的爭論，終究只能算是茶壺風暴。文化藝術的留名與否，通常都遠遠超過當時的期望，而眞正扮演歷史之篩的，都不是現在，而是未來。現在的人爲經典而爭吵，其實已是越權，他們想要占用以後的人的權利，而這是不可能的任務。當我們閱讀比較大本的各類文學史，或許就會發現有太多一度顯赫的名字，經過一兩個遺忘期之後就告煙消雲散；也有許多原本寂寞的名字，愈到後來卻愈被記得。遺忘和記得之間，才是經典與非經典的界線，而那是此刻的我們完全無法預知的開放的未來。

儘管經典與非經典的界線無法預知，但仍可揣測。經典不依附政治，否則它就變成了宣傳；經典也必須超越歷史，接觸到更普遍的人性與價值問題。經典的先決條件是它的作者必須有一顆不同於衆、但又能讓人感動的心靈。

從一九八〇年代中後期開始，各個國家都陸續出現「正典爭論」（Canon Debate）。這是世紀末的共同急躁，由於大家都用了「經典」（Classic）或「正典」這個嚴肅的字，爭論起來也就格外兇猛粗暴。由於「經典」的決定權根本就不在爭論者的手上，因而他們所謂的「經典」，其實只不過是「我們認爲重要的作品」而已。明乎此，或許對這些爭論也就可以用平常心來看待了！

淺灘愁困的荒謬

一個小男孩看了A片後，闖入姊姊臥房行強；一個值班小兵看到高中女生，也性慾頓起，既強暴又殺人。這些都是荒謬的犯罪案例。犯罪者都人格失敗，他們都不會規範自己的慾望。

人都會有憤怒，但憤怒的發洩卻也必須有終極的界限。一個職校男生對女生不爽，就把對方殺掉並丟棄，這也是荒謬的犯罪。犯罪者的失敗，在於他不會調控自己的憤怒。

約束慾望、調節自己的憤怒和挫折，這些乃是人的起點，否則不但人不可能，甚至連社會也將不再可能。但目前這個時代，由於人的自戀愈來愈甚，對慾望和情緒的調控能力則日趨減退，於是，隨著慾望和情緒而造成的「興之所至的犯罪」（casual crimes）遂成了最新型的一種。青少年搶便利商店，理由是「我口袋沒錢」；小男孩闖入姊姊房間行強，理由是「看了A片睡不著」；另外的強暴或殺人，理由則是「性慾高漲」、「我很生氣」諸如此類。隨著慾望和情緒而走的犯罪，他們的理由都不是理由，但這些不是理由的理由背後，卻有著眞正的理由：那就是權力。人們在將人的本質不斷簡化的過程中，由人是「自我」變爲人是「主體」；接著，又由人是「主題」簡化爲人是「身體」；再接下來，則成了人是「慾望」。當人已什麼都不是，而只不過是一堆「慾望」時，最後即難免還原到最後「人是權力」這個終點。

因此，這種「興之所至的犯罪」，乃是一種荒謬。人們在不斷抬舉人的價値後，最終卻走到完全否定人的價値的方向。

這時候，就想到當代主要小說家及詩人班・歐克瑞（Ben Okri）所寫的一首詩〈我們吟唱荒謬〉。詩裡說道：荒謬是一切標準都被溶解掉之後那個「讓人煩惱痛苦的旅程」。最後造成恐怖與混亂大行。詩裡有句曰：

我們吟唱荒謬
而衆生皆在淺灘愁困
銳利的言辭瓦解
成爲俗世的混沌
而這一切都在眼底發生。

由於人的自戀愈來愈甚，
對慾望和情緒的調控能力則日趨減退。

「淺灘愁困」似乎正是這個時代的最大特性。它不是什麼動亂的激流，但眼睜睜看著許多不可思議的事一再發生，生活在這個世界，彷彿離開了家門即不再安全，有時候甚至關起門來仍有危險。而對這些，所有的人都束手無策，只能祈禱，但願不要碰上那些事情。

或許，在「淺灘愁困」的時代，人們只有繼續去吟唱荒謬了！

囚禁在童稚的想像中

——從米老鼠到凱蒂貓

好萊塢影星麥克・道格拉斯說過：「如果我能變成別的什麼東西，那麼，我寧願是米老鼠。它永遠不會做任何錯事，而每個人又都愛它。」

麥克・道格拉斯想要變成米老鼠，這雖是玩笑話，但卻有深意。米老鼠是一九二○年代華德・迪士尼創造的卡通動物。最初的米老鼠是個喜歡促狹整人的壞傢伙，頭小身大，是隻大人鼠。但當代美國主要學者之一的傑・古爾德（Stephen Jay Gould）曾做過專門研究，他發現到在過去七十多年裡，米老鼠的造型一直在變化中。原有的促狹搗蛋消失，它的頭愈變愈大，身軀則慢慢縮小，米老鼠從一個大人鼠變成了娃娃鼠，並逐漸轉化爲天眞無邪的象徵。

米老鼠是美國歷史上第一個童稚化的公共象徵，在此之前，當然也有無邪而純眞的大衆偶像，如無邪自然的西部牛仔等。因此，米老鼠的造型及形象轉變，遂具有極大的文化意涵。當代拉丁美洲文學權威，也是主要文化學者的朵夫曼（Ariel Dorfman）稱之爲「文化的童稚化」（The Infantilizing of Culture）。

無邪的童稚遂成了唯一的溝通公分母，
也是最大的鄉愁，或是最後的自戀。
在各式各樣的童稚化物品裡，人們所擁抱的乃是無助的自己。

「文化的童稚化」可以有很多解釋，它也可以用來解釋米老鼠、芭比娃娃、凱蒂貓等現象。目前這個時代，人與人的溝通日益困難，人們普遍處於一種「很想愛，但又怕受傷害」的封閉與寂寞中，於是，無邪的童稚遂成了唯一的溝通公分母，也是最大的鄉愁，或是最後的自戀。「文化的童稚化」造就了各式各樣具有童稚性格的文化象徵物。

於是，米老鼠由大人鼠蛻變爲娃娃鼠，童稚化加上對消費的渴望，就形成了華貴俗艷的芭比娃娃。文化的童稚化並且造就出「天使臉孔、魔鬼身材」的性象徵。朶夫曼教授甚至說，在這樣的時代裡，不只文化象徵童稚化，每個消費者也都變成了童稚、無助、但卻貪得的「沒有年齡差別的孩童」。孩童購買童稚的象徵物，那是我們失去的樂園，也是我們最後的自戀。在各式各樣的童稚化物品裡，人們所擁抱的乃是無助的自己。

童稚化的時代，也是各種娃娃象徵物變幻起伏的時代，從米老鼠開始，芭比娃娃、破布娃娃、凱蒂貓，以及將來不知道會是什麼樣子的類似物品，都將如浪潮般湧來，在中性化當令的時刻，往後的童稚物品甚至有可能不再區分性別，而只是露著無邪童稚眼神的大眼，而我們所想像的，藉以獲得安慰的，也就是這種眼神。當然，從此以後，我們也就注定將被禁錮在童稚的想像中！

喬宇嵬瑣

《荀子》的〈非十二子篇〉裡，用了「喬宇嵬瑣」四個子，來形容當時的許多讀書人。

「喬」字同「譎」，指詭詐；「宇」指放蕩恢大，空疎耀眼；「嵬」指狂險賣弄，「瑣」則是姦細碎雜。荀子用這四個字，是在對他那個時候的讀書人予以針砭。他們炎炎誇張，空疎迂闊，有的則詭辭惑人，小處賣弄。由於不能切事論事，因而遂造成歪理詖辭盛行，於世道人心毫無裨益。

由「喬宇嵬瑣」，就想到近一兩百年的讀書人心性。過去漫長時間以來，由於社會專制落後，讀書人遂形成了一個非常獨特的罵人批判傳統。他們無意於就事論事、有條理和有哲學的去談改革；反而傾向於以冷嘲熱罵的態度看待一切。《厚黑學》以厚黑觀點來解釋一切現象，即是這種「喬宇嵬瑣」風格的代表，近代有許多大眾文化英雄都可以說是其延續。他們的冷潮熱罵可以讓人「爽」，有助於人們的反權威，但卻無助於讓人的品質及社會條件變得更好。反了這個權威，卻以另一種方式去擁抱另一個權威，可以說就是「畜宇嵬瑣」文化之所賜。「畜宇嵬瑣」的文化可以陪伴人們走過黑暗，但它卻無法給人任何光明。

因此，我對台灣那些大衆文化英雄一向沒有興趣，而寧願將他們視爲一種反面教材。以西方標準而言，他們可以說乃是一種「否定性之批判」人物——所謂的「否定性之批判」，乃是他們看到了時代的壞，卻提不出好，於是遂只得以熱罵冷諷來批判現實，尖刻有餘，而深度則不足。

而反觀西方，中古黑暗時期尾聲以迄文藝復興初期，也的確一度出現過類似的文化。許多讀書人以諷刺罵人來宣洩他們對黑暗的不滿。但這種否定式的文化，在文藝復興中後期卻被揚棄，並因而開啓了一種正面批判的傳統。批判者必須有清楚的道德與倫理信念，不吹風點火博取喝采，而是就事論事的討論問題。正面批判是一種堂堂正正的批判。它不求爽，不求聳人聽聞，有意見，有主張。這也是西方政論的起源。

比較東西方的政論，尤其是近代台灣大衆文化英雄的評論，很難不油然生慨。西方在堂堂正正的批評傳統下，諷刺惡罵式的評論始終成不了正統主流。但在台灣則反是，愈是尖刻損人，愈是一竿子打翻一條船者，愈受人喝采。兩種完全不同的傳統，註解著兩種完全不同的文化。

「希宇嵬瑣」的文化及文化英雄當道，這其實並不是值得喝采的事，因爲，「希宇嵬瑣」乃是文化落後的象徵！

The People, No

政治詩難寫，要寫到沒有血氣，卻多出智慧，尤爲不易。日前讀到澳裔英藉女詩人維姬・瑞夢（Vicki Raymond,1949–）所寫的〈人民・那有〉（The People, No），不禁莞爾。詩曰：

而今再也聽不到說「人民」
那彷彿雷霆，讓人驚駭的海洋
已潤滑成一片平坦。
每個地方大家只說「人們」
它像嬰兒啁啁聲一樣感性的散開

「人民」習慣於渺小
太喜歡在群衆裡尋求慰安
如同電影臨時演員

被呼來喚去，站著
好幾小時在大太陽下，
最後發個隔夜薪水。

而「人們」卻不然，
他們敏感而操心，
同意必須讓自己美容瘦身，
每個清晨繞著公園慢跑。
不懷疑他們取代了

那可憐的老恐龍——「人民」
他們抽著菸，永不知道，
要活著就必須自己變得很渺小
有些時候最好讓人看不見
因此讓我們告訴「人們」
他們的感性和品味

現在我們的社會早已不再有「人民」，
剩下的只有「人們」。

他們的整套價值
就彷彿一組柳條編的模型
如此細緻，也如此易於不再流行！

維姬・瑞夢的這首詩，眞是好得讓人讚歎。這首詩將「人民」（The people）和「人們」（people）這兩個觀念的最關鍵之處，做了非常淸楚而有趣的分析：「人民」，是狂飆時代的稱呼，「人民」變成群衆，具有彷彿怒濤般的力量。但到了最後，所謂的「人民」，只不過淪爲煽動家或政客操弄的道具或臨時演員。

而「人們」則是消費時代的稱呼，它變得像嬰兒啁啁聲那樣的軟綿綿。他們敏感而操心，跟隨著流行價值隨波逐流。在「人們」已取代「人民」的時代，怒濤不再，當然也沒有了政治的熱情。

我一邊讀〈人民・哪有〉，一邊笑了起來。因爲，國民大會再演離譜的山中傳奇，那些人敢於如此做，其道理就在這首詩裡。現在我們的社會早已不再有「人民」，剩下的只有「人們」。「人們」不關心政治，只理會流行。在「人們」當道，政治冷感的時代，此時不自肥，更待何時！而無論「人民」或「人們」，則又和「人」好像都沒有關係！

回教與回族

最近，應台北市民政局之邀，在鴻禧美術館做了一場演講，題目是「華人社會與回教世界的衝擊與交流」。我答應的原因，乃是台灣的我們，對回教及回教世界實在太陌生，而且陌生到不應該的程度。

我們不應該漠視回教，因爲自從唐朝開始，循著絲路及海上絲路到中國的回教徒即絡繹不絕，尤其是來自阿拉伯半島的回教徒商人，甚至還造就出泉州爲世界第一大商港的古代傳奇，由《馬可孛羅遊記》，即可知泉州以及當時福建的盛況。除了經商之外，元明兩代大量回教徒內附，許多甚至還是來自海上的阿拉伯人，他們形成了所謂的回族，在中華文化裡出過許多鼎鼎大名的人物。例如：下西洋的鄭和，即是來自雲南箇舊的回教徒，原姓馬。他的祖父及父親都回過麥加朝聖。除了鄭和自己外，下西洋的歷次船隊裡，回族也都是主力幹部。

寫《聊齋誌異》的蒲松齡，似乎也是阿拉伯裔回教徒的後代，他出生福建泉州，後來輾轉流寓到了山東。多年以來，我一直認為《聊齋誌異》所繼承的可能就是阿拉伯人說故事的傳統。

在明代思想史上曾大放異彩的李贄（卓吾），似乎也是回族，亦同樣出自福建泉州。李贄博通儒釋道，他的佛學乃是淨土宗裡列名的大居士。在明代假道學大盛的那個時代，他獨樹批判大旗，臨終時堅持以回教徒裹白布的方式下葬，以示回歸自己的回族傳統。

而在明代，最具傳奇性格的海瑞，則是來自海南島的回族。當時的明世宗荒唐絕頂，不務正業，每天但知吃仙丹，以求升天。海瑞看不下去，因而上書諫諍，他在奏摺裡將皇帝狠訓了一頓，由於自忖悖逆了皇帝，必被處死，因而上書之前，就訣別老妻、遣散家人，買好一具棺材。所幸當天明世宗還算清醒，並未將其論斬，但一場詔獄之災卻終難避免。

元明兩代，回族人才輩出，熠熠生輝。尤其是明代，有一大半的江山都是回族替朱元璋打下來的，朱元璋的反元起義，麾下大將，如常遇春、胡大海、沐英、藍玉、丁德興，幾乎都是回族。

但令人惋惜的是，所有的這些事情，今日的我們早已遺忘殆盡。我們近代受到歐美偏見的灌輸，對回教、回教徒、回教世界已徹底無知，甚至偏見得比歐美還要嚴重。當然更不可能去回顧昔日回教徒對中華文化所做出的偉大貢獻了。

演講完後，我想到，或許我們已應重新開始重視回教的研究與了解了！

狂歡式的尊嚴

每年的奧斯卡頒獎，均爲年度盛事，全球觀衆多達十五億，全部的實況轉播費及廣告費亦高到五億美元左右。奧斯卡頒獎典禮的風光，甚至連最有人氣的世界盃足球決賽都輸它一大截。

在這個文化全球化的時代，我們也跟著奧斯卡頒獎而起舞，但這個獎背後的另外一則故事卻長期以來都被我們忽略了，那就是行業的尊嚴與慶典。

如果我們研究美國的商業史，或許可以發現到，在本世紀之前，美國的商業和其他國家並沒有什麼不同，每一種行業也都非常傳統而辛苦，那是一個大家都爲了活著而活著的時代，有階級上的不同，卻無行業的共同自信。

但這種情況在上個世紀末以迄本世紀初之間，卻開始有了改變。當時的美國人對南北戰爭之後的新美國出現自覺，希望能替「新」做出定義，最後，商業菁英遂創造出一種以物質與消費爲主的生活文明；配合著這種新文明的誕生，每一種不同行業的人也開始企圖定義自己的行業。他們希望自己的行業能被尊敬，也希望自己的行業不會讓從業者覺得遺憾。行業的自覺，遂使得每個行業都出現了自己的慶典，那是行業內的團結與狂歡，也是向行外之人顯示自己行業的手段。

於是，棉花業者遂每年集會，並選拔「棉花公主」；畜牧業者亦每年集會，舉行牛仔技術比賽和「牛仔女郎」的選拔。幾乎每一種行業都有類似的活動，奧斯卡金像獎的誕生，根據的也是同樣的道理。當時的電影仍屬新興且無地位的行業。這個行業的人希望藉著頒獎的慶典來凸顯自己，並促銷自己的產品。由這樣的脈絡可以看出，奧斯卡金像獎的創設，與「棉花公主」、「牛仔女郎」、「櫻桃小姐」、「葡萄公主」、「商展女郎」……等並無任何不同，它後來的發展只不過是因爲電影這個行業愈來愈重要所致。

奧斯卡金像獎愈來愈重要，電影工作者當然也愈來愈有尊嚴。但我們不能疏忽了一個重要的事實，那就是這個行業的早期從業者的努力。奧斯卡金像獎創設之初，只是一個尚無地位的行業內的慶典，但很快的，這個行業裡的秀異分子就替這個行業創造出了許多成功的故事，他們自己則成了行業內的神話，華德·迪士尼和法蘭克卡卜拉即是重要的神話英雄。他們替自己的行業奠定了往後的地位。

只要夠努力，
每一個行業都可以變得很偉大。

由奧斯卡金像獎背後的這個故事，說明了行業尊嚴的重要。每一個行業的人必須先看重自己，並竭力抬高自己行業的地位，而不能永遠「做一行，怨一行」。只要夠努力，每一個行業都可以變得很偉大。

選舉之後想到三首詩

從小就喜歡讀詩，尤其喜歡從各家詩集裡將有哲理意涵的詩找出來閱讀，並將它們置諸座右，這些詩幫助著我走過漫漫人生。

其中，有三首頗符合目前的氣氛，很可以與人分享。它依序爲宋代楊萬里的〈過松源晨炊漆公店〉、唐代杜荀鶴的〈涇溪〉、清代袁枚的〈小心坡〉。它們說的都是同一個主題：我們要用什麼態度來過生命中不可避免的順境與逆境？楊萬里的詩曰：

莫言下嶺便無難，
賺得行人錯喜歡；
正入萬山圈子裡，
一山放出一山攔。

楊萬里幾乎可以說是古代最好的哲理詩人。他最擅長就近取譬，從小事情看大道理。這首詩講人生原本就是一次高高低低起伏的旅程，有時上坡，有時下嶺，每個人

如果自己能在逆境中努力，
將來他就會反過來感謝以前有過的逆境。

千萬不要以爲自己會永遠處於順境，也要爲時時刻刻都會碰到的逆境做準備。

楊萬里的詩講順境與逆境的交錯，人們要有這樣的認知。而杜荀鶴及袁枚的詩則說對於這種情況的態度。杜荀鶴的詩曰：

涇溪石險人兢慎，
終歲不聞傾覆人；
卻是平流無石處，
時時聞說有沈淪。

這首詩的意思也非常淺白。當處逆境時，人們多數能努力謹慎，因而平安度過；反而是在處順境時會掉以輕心，容易發生危險。而這種道理，袁枚就講得更白話了：

險極坡難過，
小心各自持；
勸君平地上，
還似過坡時。

袁枚的詩把道理講得太白了，因此在境界上比前兩首差了一點，但他勸人謹慎，用意仍佳。人生原本就順逆交錯，處順境時不驕不忞，在泰然中多一點警戒自慎；而處逆境時不憤不躁，在努力中多一些反省和憧憬，苟能如此，還會有什麼問題？

我的出身不怎麼幸運，碰到倒楣事情的機會多，運氣好的時候少。人生這樣一路七上八下的走過來，很感謝前面所引的這些詩對我的幫助。這些詩一直提醒著我，不能放鬆努力，要活得正正派派。碰到逆境時就氣這個、恨那個，其實毫無用處。西哲說：「事務是個解釋的循環圈，未來決定著現在。」如果自己能在逆境中努力，將來他就會反過來感謝以前有過的逆境。這句話的意思，所隱含的乃是要人們把自己的眼光看遠一點，一時的升沈起伏又於我何有哉？

選舉剛完，有人欣喜若狂，有人氣成這樣那樣，而我被勾起的，則是以前讀過而且幫助過我的那三首詩！

猶太人與索羅斯

猶太人使人尊敬，可是，有時候啊，某些猶太人也眞的讓人痛恨。

值得尊敬的猶太人多得不勝枚舉。近代歷史上最重要的三大人物：愛因斯坦、佛洛伊德以及馬克思，都是猶太人。除了這三個頂級人物外，其他許多領域的開創者也都是猶太人，信手拈來，就有經濟學大師薩繆爾遜、社會學奠基者涂爾幹、語言哲學大師維根斯坦、原子彈之父費米及歐本海默、分子生物學創始者孔恩伯格及克列布、盤尼西林之父錢恩等。猶太人在諾貝爾獎裡占了最顯赫的分量。

猶太人在學術思想上獨占全球鰲頭，他們在文學藝術上也光彩耀眼，尤其是音樂。台灣樂迷最喜歡的鋼琴演奏家魯賓斯坦、阿胥肯納吉，以及小提琴演奏家海菲茲、帕爾曼，以及現代音樂祖師荀柏格也都是猶太人。他們是人類的共同資產。

除了體制性的學術文化之外，猶太人更大的特性是反叛。現代最早的職業革命家，尤其是女性革命家，幾乎全是猶太人。他和她們將全球當成祖國而追求理想。在近代美國政治及學術上鋒芒畢露的「紐約才子幫」也幾乎全部都是猶太人。

可是，翻到另一頁，我們卻可看到猶太人使人生氣的一面。猶太人喜歡當律師，善於金融理財，這些都是支配別人的行業，必須依靠精打細算的本領和強烈的權力慾。猶太人當然有很多望重各方的人道律師，但猶太人掌控紐約律師界及華爾街，以及控制好萊塢，各類惡形惡狀的劣跡不斷，卻也是事實。這是猶太人讓人嫉恨之處。當人們看到這類事情時，就會謔笑說：「猶太人終究還是猶太人！」

這就是猶太人的兩個面向。它只能用一種常識性的說法來解釋：猶太人失去國家兩千年，他們在長期的被迫害中發展出一種獨特的追求卓越的文化，他們愛好科學和藝術，可以挾帶著這些本領到任何地方生存，他們是「世界的公民」。然而一旦觸及權力，他們那種長期被壓抑的權力慾遂告爆發。這時候的猶太人變成了千百年來他們最痛恨的那種人。猶太人有偉大的科學家、思想家、藝術家、銀行家，但一涉及權力，猶太人的惡劣即告出現，猶太人的傑出這時已走到了它的反面。

猶太人的傑出會走到它的反面，或許可以用來解釋像索羅斯這種金融投機家的出現。他和其他猶太人一樣，都從千百年的歷史縫隙中艱苦走來，他們藉縫隙而生存，也藉縫隙而圖利，他們少了對這個世界的義務。

當索羅斯在計算他又賺了多少錢的時候，他一定沒聽到許多被他很有理由的摧毀掉的國家裡那些受害者家人的哭聲！

猶太人有偉大的科學家、思想家、藝術家、銀行家，但一涉及權力，猶太人的惡劣即告出現。

漫遊大學出版部

每到外國的大學，我一定會去看大學裡的書店或大學出版社。學生們讀什麼書，學校出什麼書，都是顯示大學水準的不會說謊底證據。

印象最深刻的，乃是英美那幾所頂尖大學的出版社。它們都以高標準出書，帶動學術研究的進步。劍橋大學的古典研究、芝加哥大學的思想論述、哈佛的歷史著述、哥倫比亞大學以及明尼蘇達的當代思潮，都享譽全球。稍早前我為了中東問題尋找資料，發現小小的科羅拉多大學出版社，居然出得十分完備且權威。

而有大學出版社，當然也就有代表該校的專業學報。歐美的主要大學，都會根據自己的特性而選擇性地發行某一類學報，成為凝聚該學科的創造中心。大學不只是授業解惑而已，它更重要的功能乃是研究與創造，藉以取得學術地位，從而能夠吸引秀異學生。沒有大學出版社和學報的大學，其實和高級職訓班無異。

除了大學出版社、學報外，校內書店也非常值得注意。我最喜歡的是史丹福大學的那個特大的學術書籍超級市場，它的規模可以媲美台灣最大的超市賣場，買書要用手推車，稍微仔細地逛一遍，大概要整整一天。有這樣的書市，可以證明史丹福頂尖之名絕非僥倖。

大學始於十一世紀末。十五世紀文藝復興，對古希臘的經典需求大增，於是大學出版社興起，當時的巴黎大學有系統地整理和編譯希臘經典，帶動時代的進步，大學出版社的地位因而確立。美國大學開始得較晚，至今才三百年左右，但它一開始，就對大學出版社不敢輕忽。以今日的情況而論，美國的大學出版社所出的書籍占全部學術著作的百分之十五左右，量不是頂多，但在質上則無疑地居於先導地位。美國的大學出版社從來不出教科書。

歐美主要大學的出版社及校內書店讓人驚歎，但其他地區也未見多差。以香港爲例，中大前身是新亞書院，從那時起，它對古典漢文的研究與出版即非常用心，近年來又和牛津合作，希望自我提升。我有一年冬天到南韓，專程去了國立漢城大學，當時積雪未消，激烈的學運分子頭綁布條，繞著校園跑步呼口號，那是學運操兵。問路後找到大學書店，它的規模不是很大，但西方古典研究的書籍還眞是不少，許多都還是影印版。漢城大學學生既讀書，又搞學運，眞不簡單。

大學出版社、學報、大學書店。這時候就想到了我們自己。我們的大學這三者幾乎全無。大學的老師們都在做什麼？學生們都在讀什麼？最近教育部和各大學開始研究要設立大學出版部，大學所想到的卻是可以出版教科書來增加收入，看到這些，眞是讓人懊惱啊！

語言是我們的居所

《語言是我們的居所》揭開了漢人潛在的心理機制與文明的暗流，在兩個世紀交替之際，藉由語言去體會生命無盡藏的奧祕。

這是一本豐富之書，書中有大量並且可貴的知識；這是一本有趣之書，書中有鮮活的事例與源流典故；這是一本詩意之書，智慧照耀了人性幽微之處。定價250元

語言是我們的星圖

語言可以說成許多譬喻：它是人的居所、是鐫刻著故事的寓言書；也可以視爲一幅地圖，或標示思想天空的星圖。我們走過的、我們知道的，以及我們還不知道的，都在其中。而我們自己就是那個繪圖的人。

《語言是我們的星圖》是語言書寫第二本，透過南方朔博學精闢的層層推敲，撞擊出語言的自我面貌，是豐富思想的辭書，更是挖掘人類原始想像力的圖鑑，讓我們一起進入「語言」的世界，滿載星光燦爛。定價250元

世紀末抒情

在主題凋零的年代中，我們更應成爲擁有愛和感受能力的美學家。這裡所分享的，是如何跨越挫折和焦慮，讓荒旱的心田，迎向抒情、感性和優雅，和下一個世紀清涼的新雨。

《世紀末抒情》集南方朔先生近幾年感性的心靈見證於一帖，動心幽微，放散清芬。不能面對自己的私密，但卻試著面對自己的感覺，這本書就是一個小小的記錄。定價220元

國家圖書館出版品預行編目資料

有光的所在／南方朔著.－－初版.－－臺北市；
大田，民89
面；　公分.－－（智慧田；15）
ISBN 957-583-826-2(平裝)

855　　88018405

智慧田 015

有光的所在

作者：南方朔
發行人：吳怡芬
出版者：大田出版有限公司
台北市106羅斯福路二段79號4樓之9
E-mail:titan3@ms22.hinet.net
http://www.morning-star.com.tw
編輯部專線（02）23696315
傳眞（02）23691275
【如果您對本書或本出版公司有任何意見，歡迎來電】
行政院新聞局版台業字第397號
法律顧問：甘龍強律師

總編輯：莊培園
主編：蔡鳳儀
編輯：陳惠菁
美術設計：陳淑純
校對：呂佳眞／陳佩伶／耿立予
印刷：耀隆印刷事業股份有限公司
初版：二〇〇〇年（民89）2月29日
二〇〇一年（民90）1月1日　三刷（5001—7000本）
定價：220元

總經銷：知己實業股份有限公司
（台北公司）台北市106羅斯福路二段79號4樓之9
TEL:(02)23672044・23672047　FAX:(02)23635741
郵政劃撥：15060393
（台中公司）台中市407工業30路1號
TEL:(04)3595819　FAX:(04)3595493

國際書碼：ISBN 957-583-826-2 / CIP:855 88018405
Printed in Taiwan

廣 告 回 郵
北區郵政管理局登
記證北台字11049號
免 貼 郵 票

大田出版有限公司　編輯部收

地址：台北市106羅斯福路二段79號4樓之9

電話：（02）23696315-6　傳真：（02）23691275

E-mail：titan3@ms22.hinet.net

地址：……………………………………

姓名：……………………………………

TITAN

大田出版

智　慧　與　美　麗　的　許　諾　之　地

閱讀是享樂的原貌，
閱讀是隨時隨地可以展開的精神冒險。
因爲你發現了這本書，所以你閱讀了。
我們相信你，肯定有許多想法、感受！

讀者回函

你可能是各種年齡、各種職業、各種學校、各種收入的代表，
這些社會身分雖然不重要，但是，我們希望在下一本書中也能找到你。

名字/＿＿＿＿＿＿＿＿ 性別/□女□男 出生/　　年　　月　　日

教育程度/＿＿＿＿＿ 職業/＿＿＿＿＿＿ 年收入/＿＿＿＿＿＿

聯絡地址/＿＿＿＿＿＿＿＿＿＿＿＿＿＿ 電話/＿＿＿＿＿＿

郵遞區號 □□□ E-mail:＿＿＿＿＿＿＿＿＿＿＿＿＿＿

你如何發現這本書的？　你買的書名是＿＿＿＿＿＿＿＿＿＿

□書店閒逛時＿＿＿＿書店 □不小心翻到報紙廣告（哪一個報？）＿＿＿＿

□朋友的男朋友（女朋友）灑狗血推薦 □聽到DJ在介紹＿＿＿＿＿＿

□其他各種可能性，是編輯沒想到的＿＿＿＿＿＿＿＿＿＿

你或許常常愛上新的咖啡廣告、新的偶像明星、新的衣服、新的香水……

但是，你怎麼愛上一本新書的？

□我覺得還滿便宜的啦！ □我被內容感動 □我對本書作者的作品有蒐集癖

□我最喜歡有贈品的書 □老實講「貴出版社」的整體包裝還滿 High 的 □以上皆非

□可能還有其他說法，請告訴我們你的說法

＿＿＿＿＿＿＿＿＿＿＿＿＿＿＿＿＿＿＿＿＿＿＿＿＿＿

＿＿＿＿＿＿＿＿＿＿＿＿＿＿＿＿＿＿＿＿＿＿＿＿＿＿

一切的對談，都希望能夠彼此了解，否則溝通便無意義。
當然，如果你不把意見寄回來，我們也沒「轍」！
但是，都已經這樣掏心掏肺了，你還在猶豫什麼呢？

請說出對本書的其他意見：＿＿＿＿＿＿＿＿＿＿＿＿＿＿

＿＿＿＿＿＿＿＿＿＿＿＿＿＿＿＿＿＿＿＿＿＿＿＿＿＿

大田出版有限公司編輯部 感謝您！